W9-BYJ-600

ZICO CONTA SUA HISTÓRIA

FTD

Todos os direitos de edição reservados à
EDITORA FTD S.A.

Matriz Rua Rui Barbosa 156
(Bela Vista) São Paulo
CEP 01326-010 Telefone 253 5011
FAX (011) 288 0132

Editora
Ione Meloni Nassar

Editora Assistente
Marie Nakagawa

Preparação de texto
LAA Produções Literárias

Revisão
Joyce Loyolla Franco
Katia Mari I. Miaciro

Editor de Arte
Edvaldo Lin Silva

Capa
Edvaldo Lin Silva

Pesquisa Iconográfica
Sônia Oddi

Leitura e Releitura
elaborado por Marisa Sobral

Editoração Eletrônica
Ana Isabela Maraschin Irala
Daniel Rizzi
Terezinha de Fátima Joaquim Oliveira

Coordenação de Editoração Eletrônica
Carlos Rizzi e Reginaldo Soares Damasceno

Fotos
capa: Pedro Martinelli/Abril Imagens
4ª capa: Walter Firmo/Abril Imagens

As legendas das fotos e as citações das páginas 5, 13, 21, 29, 35, 40, 51, 60, 71, 77, 84, 90, 99, 110, 114, 118 e 124 são de responsabilidade da editoria

Dados Internacionais de Catalogação na Publicação (CIP)
(Câmara Brasileira do Livro, SP, Brasil)

Zico, 1953-
  Zico conta sua história. — São Paulo : FTD, 1996.

  ISBN 85-322-1913-6

  1. Jogadores de futebol — Brasil — Autobiografia
2. Zico I. Título.

96-2201   CDD-927.96334

Índices para catálogo sistemático:
1. Brasil: Jogadores de futebol : Autobiografia
927.96334

Í N D I C E

"... quando eu jogava de goleiro, não admitia sofrer gols de falta. Zico não iria fazer esses gols em mim."

Seu Antunes, pai de Zico

Ricardo Chaves/Abril Imagens

RUA LUCINDA BARBOSA, 7

Eu sou o Zico, filho do seu Antunes e da dona Matilde. Meu pai era um português brabo, de Tondelas, perto de Coimbra. Trabalhou em padaria, foi alfaiate, e por pouco não seguiu a carreira de goleiro no futebol profissional. Enfim, deu duro a vida inteira para nunca deixar faltar nada dentro de casa.

Nasci numa rua chamada Lucinda Barbosa, em Quintino, um subúrbio do Rio de Janeiro, em 3 de março de 1953. Minha mãe tem horror a hospital e por isso deu à luz em casa, com a ajuda de uma parteira amiga da gente — bem como dona Matilde queria e como muita gente da

Arquivo do autor

17/10/54: Zico em sua casa, em Quintino

vizinhança fazia naquele tempo. Sou o caçula de uma família numerosa. Quando nasci, meu pai tinha cinqüenta e um anos. Minha mãe diz que fui muito preguiçoso — demorei a falar e mamei até os seis anos de idade. Nunca liguei muito para comida quando era criança. Gostava mesmo era de batata frita. Do resto, não fazia questão. Pode ser por isso, e por ter sido um menino franzino que até parecia meio fraquinho, que fui protegido demais durante toda a minha infância, inclusive por meus irmãos. Quando meu pai chegava à noite do trabalho, encontrava sempre a gente na rua, batendo bola. Daí, do portão, soltava um berro num fôlego só:

— Zeca-Nando-Edu-Tonico-Zico-pra-dentro!

E a gente obedecia no ato, na mesma corrida. Meu pai já esperava de cinto na mão, quando ficava sabendo de alguma desobediência da gente às leis da casa. Malcriação contra minha mãe, então, não tinha desculpa, nunca, mas também era difícil de acontecer. O caso é que a fileira de irmãos ia passando, cada um levando a sua lambada — e eu era sempre poupado. Ou um irmão parava na frente do meu pai e me dava cobertura, para eu escapulir — mesmo à custa de uma sobra extra pra cima do meu protetor —, ou meu pai aliviava.

Ele nunca me encostou um dedo. Meu irmão Antunes, o mais velho, não teve a mesma sorte. Eu ouvia contarem do meu pai correndo furioso atrás do Antunes, com cinto na mão ou um pedaço de pau, se ele aprontasse alguma coisa que o desagradasse.

Lembro que ia ver o Antunes jogar bola detrás do gol dos adversários. Daí, quando o time dele marcava, eu cantava:

— Có-có-ri-cóóóó!

17/10/54: Zico no colo de sua tia Fernanda, entre os primos Linda e Carlitos, em Quintino

Por causa disso, para pegarem a mania de me chamar de *Galinho* foi um pulo. E também para ganhar o apelido que tenho até hoje. Começaram me chamando de *Artuzinho*, depois *Artuzico* e, para simplificar de vez, Zico, dado por minha prima Linda.

Meu pai era Flamengo doente! Já gostava de futebol quando chegou ao Brasil, e certo dia foi assistir a uma partida entre Flamengo e América. O América ganhou de 4 a 1, mas meu pai adorou a camisa do Flamengo. Foi paixão mesmo. Cada filho que nascia, comprava para ele um uniforme completo de jogador do Flamengo e outro da Seleção Brasileira.

Mas nunca quis que filho nenhum virasse jogador de futebol.

Jogador de futebol, naquele tempo, tinha fama de sujeito da noite, farrista, boêmio... vagabundo. E, além do mais, meu pai teve lá suas desilusões. Ainda moço, trabalhava numa padaria e agarrava no gol do Municipal, um time amador. Tinha liga, campeonato e tudo, e a equipe do velho Antunes foi campeã. Daí, foi chamado para treinar no Flamengo e o patrão dele, o dono da padaria, que era vascaíno, ameaçou:

— Se você for para o Flamengo, está despedido!

Ora, meu pai precisava do emprego, então...

Quando meu pai abriu a alfaiataria, eu saía da escola e, às vezes, ia para lá, me encontrar com ele. Voltávamos juntos para casa à noite. Achava sempre que era meio mágica — coisa bonita mesmo! — a concentração com que ele trabalhava. É como se, a cada ponto que dava, viesse à cabeça dele que a roupa que estava consertando ou fazendo fosse importante para a pessoa que iria vesti-la, que poderia ajudá-la a conseguir um emprego ou a aparecer bem diante de alguém de quem gostasse. Ou então era por ele mesmo, por respeito ao ofício que sustentava sua família, respeito até por si próprio, pelas coisas em que punha a mão e pelo que levava o nome dele. Fazer tudo com capricho era o orgulho e a dignidade dele.

Eu era muito agarrado ao meu irmão mais velho, o Antunes, que a gente lá em casa chamava de Zeca. Tanto que, para ver meu irmão jogar, matava aula. Nunca matei aula por nenhuma outra razão, só para ver o Antunes e o

Edu jogarem. E perdi dois anos na escola por causa disso.

O Antunes começou a treinar no Fluminense escondido do meu pai. Costumava ajudar o velho na alfaiataria, e foi a contragosto que papai deu a ele permissão para seguir carreira, depois que o Zeca arrasou, num treino do Fluminense. Parecia que estava adivinhando o que iria acontecer. De fato, o Antunes sofreu muitas decepções. Foi lesado nos contratos, nas trocas de clube — e isso apesar de ser considerado um craque pela torcida e pela imprensa.

Mais tarde, o Edu também ia apanhar da vida, como jogador profissional. E vi tudo isso acontecer. Jogar com um time formado por mim e meus irmãos, lá na rua, ou mesmo em campeonatos de futebol de salão, era uma delícia. Sonhar em jogar no Flamengo, também. Mas logo deu para notar que futebol não era nem apenas brincadeira, nem coisa que garantisse sucesso na vida de ninguém. Era meio assustador aquele bando de dirigentes que passava lá

17/10/54: Zico com o pai, José Antunes Coimbra, e a prima Linda, em Quintino

por casa tentando convencer o Zeca a participar de falcatruas, a assinar contratos só para constar, nos quais o clube saía perdendo, meu irmão ganhava um trocado e ele, o cartola, embolsava uma fortuna. Um deles meu pai pessoalmente botou para correr.

Mas futebol era o que mais me dava prazer na vida. Contam lá em casa que, depois de papai e mamãe, a primeira palavra que eu disse foi Dida — meu primeiro e até hoje meu maior ídolo no futebol. Não era para menos. Foi o ano do tricampeonato do Flamengo, e o Dida foi o

Nelson / AJB

artilheiro da competição. O Dida, com sua postura elegante, chutando bem com as duas pernas e com aquela imensa alegria que passava ao comemorar o gol — jogar, para ele, era decididamente uma satisfação. E eu, de criança, já adorava bater bola, assistir às partidas, tudo o que dizia respeito a futebol me encantava.

1958: Dida, jogador do Flamengo e ídolo de Zico

Um amigo do bairro, o seu Ivo, trabalhava no Maracanã. Um dia — eu tinha doze anos —, ele passou lá por casa e me chamou para pisar no gramado. Era meu maior sonho!

Seu Ivo me levou ao Maracanã, e mais a um amigo meu da rua, e me deixou entrar no gramado pelo túnel central, de onde saem os árbitros. Esfreguei o pé naquela gramazinha gostosa, olhei em volta, para as arquibancadas vazias, sem conseguir dizer coisa nenhuma, como se estivesse vendo coisas acontecendo. Daí...

... Senti um arrepio.

"Zico é mais completo
do que eu (fui).
Além de artilheiro, arma as
jogadas, cria oportunidades
para os companheiros,
dá gols para todos eles.
Ah, se eu tivesse a firmeza
do chute de Zico,
nem sei o que teria feito
no futebol..."

Dida, em 82

Ricardo Beliel/Abril Imagens

"VOCÊ TÁ BRINCANDO?"

M uita gente conhece essa história...
Meus irmãos Antunes e Edu já eram jogadores profissionais e viviam brincando que "o melhor da família" ainda estava em Quintino. O Edu acabou me levando para treinar na escolinha do América. Só que, naquela mesma semana, um amigo da família, o Ximango, que era torcedor fanático do Flamengo, trouxe o Celso Garcia, um locutor esportivo muito conhecido, para assistir a uma partida do River, nosso time de futebol de salão. O Ximango queria que o Celso me visse jogar.

O River ganhou de 14 a 0 e eu fiz nove gols naquela tarde.

No dia seguinte, o Celso Garcia batia na porta lá de casa, combinando de me levar para um treino no Flamengo. O Edu ficou meio constrangido. Havia acertado tudo no América — eu inclusive já tinha sido aceito no clube. Mas acabou concordando que era melhor para mim tentar a sorte num clube maior, com mais estrutura para me oferecer.

Naquela noite, não consegui dormir. Fechava os olhos e me via com a camisa do Flamengo, fazendo gols incríveis. Ou, então, justamente o contrário, cara a cara com o goleiro, chutando a bola para fora, e toda a arquibancada explodindo numa vaia monumental contra mim. Taí, não sabia se queria que amanhecesse logo ou que a noite nunca acabasse. Era uma angústia cada vez que olhava para o relógio, ora reclamando que o tempo não passava, ora sentindo um calafrio, vendo que já eram três da madrugada, quatro, cinco...

Pela manhã, me preparei todo. Pus numa bolsa camiseta, calção, meiões e botei nas costas uma chuteira novinha que um outro amigo nosso, o Jacinto, havia me comprado às pressas, justamente quando soube que eu ia fazer um teste no Flamengo.

Quer dizer, eu tinha treze anos e parecia que a coisa mais importante da minha vida ia acontecer naquele dia. Ou, pelo menos, ia começar a acontecer.

Chegamos ao clube e o Celso me levou direto ao vestiário. Lá dentro, o pessoal estava vestindo os uniformes, calçando as chuteiras, e eu fui me entusiasmando. Por um instante, meu nervosismo desapareceu — esqueci dele —, porque comecei a me sentir como se já fizesse parte daquilo tudo. Ora, eu estava ali, não estava?

E foi então que vi o Modesto Bria, treinador do Flamengo, me olhando de alto a baixo, com uma cara espantada. O Celso tinha se adiantado — eu estava esperando na porta do vestiário. Já quase havia tomado coragem para entrar de vez quando o Bria disse pro Celso:

— Esse lourinho? Miudinho desse jeito? Você tá brincando? — e ainda deu um sorrisinho quase que sentindo pena de mim.

"Pronto!", pensei. "Acabou..."

Quando era menino, nas peladas lá em Quintino, era a mesma coisa. Eu era baixinho, muito magro, daí ninguém me escolhia para entrar no time. Tive que teimar muito, e até usar um pouco o prestígio dos meus irmãos mais velhos para conseguir jogar as primeiras vezes. No entanto, quando entrei não saí mais. E a coisa mudou — passei a ser disputado, era o primeiro, sempre, a ser tirado pelo capitão do time que ganhava o par-ou-ímpar.

Só que o pessoal se aproveitava do meu tamanho — tinha um metro e meio e pesava menos de quarenta quilos. Eles só me paravam em campo dando encontrões. Senão, levava drible, na certa...

Mas aquilo do início doeu, sim... Era uma injustiça. Olhavam para mim, de primeira, e diziam logo que eu não podia jogar. E eu nem sabia o quanto que esse negócio de ser franzino ia interferir no começo da minha carreira...

Tive um exemplo muito duro, em casa. Meu irmão Edu jogava no América e era considerado um dos melhores atacantes do país. Todo mundo dava como certa a convocação dele para a Copa de 70 — pelo menos entre os vinte e dois selecionados, claro que ele tinha um lugar.
Mas não foi convocado. E a justificativa?

— É... um excelente jogador... Mas muito baixinho, né?

Baixinho, sim, mas jogava demais. Tinha faro para o gol, armava as jogadas, colocava com inteligência o companheiro em condições de marcar... A carreira dele foi prejudicada por um tremendo preconceito.

E eu estava lá, no vestiário do Flamengo, todo encolhido no meu canto, assistindo à discussão entre o Celso Garcia, que não se conformava, e o Bria. E mais todos os outros garotos, vendo aquilo acontecer e sabendo quem era o motivo da confusão que já ia atrasando o treino. Até que o Bria deu de ombros e disse:

— Tá certo! Manda o garoto se vestir e entrar em campo!

Era só o que eu queria, uma chance de pegar na bola!

— Agora é com você, Zico! — incentivou o Celso Garcia.

Bom, não foi um treino brilhante. Não marquei nenhum gol, mas joguei bem, sem complicar. O fato é que o Bria, no final, me mandou voltar na sexta-feira e foi logo avisando que, no sábado, eu ia entrar no jogo contra o Everest...

*Zico e a equipe
infanto-juvenil da
escolinha do Flamengo*

Ia repetindo para mim mesmo duzentas vezes, no caminho para casa, só para ter certeza de que havia entendido direito: "Eu estou no Flamengo, certo? Eu fui aceito na escolinha do Flamengo!"

No treino da sexta-feira, já estava bem mais solto. Fiz até gol. E no sábado minha família veio assistir ao jogo contra o Everest.

Não dava para acreditar. Eu estava jogando na Gávea, com a camisa do Flamengo, arquibancada, torcida e tudo. Até os jogadores do time principal vieram assistir ao jogo. Estavam lá o Rodrigues Neto, o Paulo Henrique, o Manicera, o Dionísio — que o Henfil deu de chamar de *Bo-*

Zico e um companheiro da escolinha do Flamengo

de Atômico, por causa das suas cabeçadas — e o Fio Maravilha.

Até hoje, me lembro de cada lance daquele jogo. Se eu fechar os olhos, ainda revivo as jogadas. E tudo isso ficou tão marcado porque me entreguei ao máximo àqueles noventa minutos, porque alguma coisa dentro de mim me dizia que estava decidindo minha vida, ali.

E estava mesmo...

Quer dizer, de certa forma, era isso o que estava acontecendo.

Acho que a minha cabeça detonou ali e não parou mais. Foi quando me dei conta de que o que eu mais fazia dentro de campo era pensar. Pensar como estava meu time, pensar cada jogada, quem estava em melhor condição no lance, no momento de passar a bola, pensar nas fraquezas que o adversário demonstrava e como poderíamos aproveitá-las... Pensar... em tudo, o tempo todo. Eu acabo uma partida mais cansado da cabeça do que das pernas.

Ganhamos de 4 a 3 e marquei dois gols. Mas isso ainda não era o bastante. Havia vezes, nas partidas do nosso time lá de Quintino, que eu podia até marcar os gols e mesmo assim o Zeca não aliviava nas críticas — acho que ele me passou noções muito importantes para eu aprender a me colocar em campo, a simplificar os lances de bola, a jogar mais para o time... Então, precisava saber a opinião do Zeca. Só aí, ia me sentir mais seguro...

Mas era tanta gente na porta do vestiário que não deu nem pra gente se aproximar um do outro. A distância, olhei para ele — e o Zeca adivinhou o que eu queria saber. Ele estava com uma expressão séria, parecia até meio preocupado, sei lá...

Mas foi só um segundo. Ele abriu um sorriso e fez o sinal de positivo com o polegar.

Então, tinha tudo dado certo mesmo... Tinha, sim!

Mas acho que só fui perceber inteiramente que a minha vida havia mudado, justo naquele dia, quando o Zeca chegou para mim, mais tarde, em casa, e falou:

— Escuta, garoto... Põe isto na cabeça... Você é um jogador de futebol. Nasceu para isso, quer vencer, quer ser muito bom, o melhor, se possível! Então, fique sabendo que você vai ter que renunciar a muitas coisas e que a sua vida vai se transformar. Não vai ser como a vida de outros garotos da sua idade. Vai ter muito sacrifício, treinos que não acabam mais, disciplina... então, briga muito, meu irmão. Nunca entre numa partida para ficar parado, esperando a bola. Corra atrás dela, dispute todos os lances. Porque esse é o seu trabalho, é o seu sustento, é uma coisa sagrada. Em cada minuto do jogo, vai ser sua obrigação dar tudo em campo. Cabe a você fazer do seu trabalho uma coisa digna, com dedicação... porque paixão pela coisa todo mundo sabe que você sempre teve.

Eu e meus irmãos tínhamos um time na rua, o Juventude. Ganhávamos todas! Eu era tão fominha de bola que, muitas vezes, aos sábados, dei para terminar o treino no Flamengo de manhã e correr para casa — depois do almoço tinha sempre uma pelada lá em Quintino ou um jogo do Juventude disputando campeonato. Eu anotava num caderno as partidas que a gente disputava, a data, o placar, quantos gols havia feito. Já ia pegando o caderno para anotar tudo sobre o jogo com o Everest. Mas não... resolvi que o que deveria fazer era começar um caderno novo, dali para frente.

"... tenho dito e
repetido que Zico é o maior
jogador do mundo.
Há os que negam, cegos
pelo óbvio ululante.
Mas, se a evidência quer
dizer alguma coisa, não cabe
dúvida, nem sofisma."

Nelson Rodrigues, *O Globo*, 9/3/76

Ignacio Ferreira/Abril Imagens

ENCARANDO AS DIVIDIDAS

Até o final da temporada de 67, eu ainda ia jogar mais oito partidas pelo time da escolinha do Flamengo. Já no ano seguinte, a coisa começou a apertar. Primeiro, por causa da escola. Muitas vezes, tive que fazer o dever de casa no ônibus, espremido entre a viagem de Quintino à Gávea e os horários dos treinos. Meu pai andava cada vez mais preocupado com meus estudos. O velho Antunes fazia questão de que todos os filhos terminassem, pelo menos, o segundo grau. E o futebol estava atrapalhando muito meu desempenho na escola.

Mas tinha outra coisa que me incomodava... Essa história de futebol estava começando a pesar era no bolso do meu pai. Acontece que eu não ganhava nada para jogar na escolinha. Daí, somava o dinheiro da condução e do lanche, e sempre era uma despesa a mais.

Em 69, organizaram um torneio entre as escolinhas e comecei a receber uma pequena ajuda financeira do clube, para os gastos. Então, pude me dedicar mais. Em compensação, os treinos também começaram a exigir mais do meu tempo. Entretanto, só treinar não era o bastante...

Participei de dezoito jogos, em 69, e marquei apenas três gols. Havia uma razão para isso. Eu dominava a bola com facilidade, lançava bem, mas na hora de invadir a área vinha sempre um zagueiro adversário me dando trombada e mandando meus quarenta quilos para o alto. Não dava para enfrentar uma dividida com um cara mais parrudo. Mesmo sem falta, só no tranco de corpo, eu era sempre derrubado.

Nessa época, era conhecido como "o irmão do Edu". E parecia que a mesma injustiça que ele sofrera ia acontecer comigo. Aquela frase "Joga bem, mas é baixinho" já estava prontinha para ser pregada em mim pelas costas e não deixar mais de me perseguir.

Aos trancos e tocos, disputei o campeonato no ano seguinte e fui o artilheiro, com vinte e sete gols. Nessa época, o George Helal começou a me ajudar, pagando do seu próprio bolso meu transporte e alimentação. E me ajudaria mais ainda na minha passagem para o juvenil do Flamengo, aos dezoito anos.

O técnico do juvenil era o Joubert. Durante os jogos, toda vez

Carteirinha do Flamengo, categoria amador

que eu era derrubado em campo ele se levantava do banco irritado, coçava a cabeça quase arrancando uns fios de cabelo, fazia uma careta ou duas, com expressão de quem comeu e detestou, e eu nunca sabia que diacho ele estava pensando. Já andava cismado quando, um dia, ele chegou para mim e disse:

— Ô Zico, é o seguinte... você é muito bom, mas com esse seu corpo mirrado não vai adiante!

"Lá vem", imaginei... Só que nunca esperava a proposta que ele me fez...

— Já falei com o dr. José de Paula Chaves, o médico do clube, e com o Francalacci, o preparador físico. O Helal concordou em conversar com os seus pais e assumir todas as despesas... Nós vamos trabalhar você, garoto! Pode ir se preparando porque, daqui pra frente, sua vida vai ser dureza!

Juro que a promessa dele foi muito bem cumprida... Começamos com uma dúzia de exames para verificar se eu tinha problemas dentários, para checar minha estrutura óssea... era exame que não terminava mais. Fiquei tomando injeções de hormônios e de anabolizantes, além de uma mala de vitaminas. Seguindo as ordens do médico, minha mãe me empurrou goela abaixo uma superalimentação que incluía, além do café da manhã, almoço e janta, dois lanches, um no meio da manhã, outro

Antônio A. Fontes / Abril Imagens

1966: Zico na escolinha do Flamengo

Teixeira / AJB

Vista parcial da estação
Central do Brasil, RJ

no meio da tarde. Dona Matilde, todos os dias, cobrava de mim o que eu havia comido, como se cobra o dever de casa de um filho.

Entretanto, a parte mais pesada do tratamento era a minha correria do dia-a-dia. As minhas viagens de ônibus, de um canto a outro da cidade, davam voltas longuíssimas, eram superdemoradas — inclusive por causa das baldeações.

Eu acordava às cinco e meia, tomava um café da manhã reforçado e pegava ou o ônibus ou o trem para a Central do Brasil, no centro da cidade. Dali, ia para a Gávea, na Zona Sul, onde chegava mais ou menos às oito e meia, para os treinos, que duravam até as onze horas. Tomava banho, almoçava e corria para meu colégio, o Rivadávia Corrêa, também no centro. Às cinco da tarde, pegava outro ônibus para o Leblon, Zona Sul, onde ficava a Academia Coelho — isso três vezes por semana —,

1966: equipe do Juventude, de Quintino

para minhas sessões de musculação. Fazia meus exercícios até as oito da noite e então voltava para Quintino, de novo via Central do Brasil. Chegava em casa por volta das dez e meia... acabado!

Gozado, anos depois, quando sofri aquela contusão no joelho, alguém iria me dizer — não me lembro mais quem foi — que na vida a gente precisa de duas coisas: paciência e memória; e precisa de memória principalmente para lembrar que precisa ter paciência.

Uma sala de musculação no fundo é um lugar de solidão, ainda mais para um atleta profissional, que não está ali para a curtição da academia — que nem era tanta assim, naquele tempo —, mas porque precisa passar por aquilo para poder exercer seu ofício... É quase uma questão de sobrevivência. Repete-se o mesmo exercício centenas de vezes, repetem-se os mesmos exercícios todos os dias... e é só esforço, esforço, superação, tentar fazer mais vezes, levantar mais peso... e, no meu caso, sem paradas para bater papo — eu não tinha tempo para bate-papos. Tinha uma seqüência enorme de exercícios para cumprir e depois precisava ir para casa e dormir, para me levantar cedo no dia seguinte.

Eu queria tanto jogar futebol, vencer na carreira que — juro! — faria tudo de novo. Tinha meus sonhos, para me fazer companhia na sala de musculação, minha vontade de fazer do futebol meu trabalho e minha vida. Nisso, acho que fui muito favorecido. Tive a felicidade de unir o trabalho, do qual a gente tira sustento e dignidade, com a coisa que eu mais adoro, que mais me dá prazer.

Os resultados começaram a aparecer. Cresci, aumentei de peso e de massa muscular. Já não procurava jogar apenas fugindo da marcação, mas encarava as divididas, mesmo contra beques mais fortes. Começava a confiar no meu corpo — e ele em troca me mostrava coisas que, antes, eu nem desconfiava que podia fazer.

Foi em 70 que joguei pela primeira vez no Maracanã — na preliminar da partida de despedida do Carlinhos, que encerrava sua carreira e se despedia da torcida. Eu e o Carlinhos fomos para o meio do campo, no final — eu, na escolinha ainda, representando a nova geração do Flamengo. Mas a camisa 10 que ia me fazer companhia nos momentos mais importantes da minha carreira, a camisa 10 do Flamengo, fui vestir no Maracanã, pela primeira vez, num jogo contra o Botafogo. Eles saíram na frente e estava 1 a 0 contra a gente até a metade do segundo tempo. De repente, lancei o Fidélis, do meio de campo, e ele foi derrubado

Zico no infanto-juvenil do Flamengo

na área: pênalti. Apanhei a bola para bater...

Lá na arquibancada, minha família estava assistindo. Soube depois que o Antunes apostou como eu fazia o gol, que minha mãe começou a rezar e que meu irmão, o Edu, ficou tão nervoso que queria sair e só voltar depois que eu já tivesse cobrado o pênalti.

Eu também estava nervoso. Olhei em volta e o anel do Maracanã estava lotado. Fiquei impressionado com o silêncio das arquibancadas. Dava para sentir aqueles milhares de olhos me acompanhando, na expectativa, querendo adivinhar pela minha maneira de ajeitar a bola, de tomar distância, se ia acertar o chute ou não. Cada movimento ou gesto meu parece que arrastava junto aqueles milhares de pares de olhos... Mas eu tinha treinado tanto, tantas e tantas vezes — precisava confiar no meu esforço.

Corri para a bola, vi onde estava o goleiro, pus na minha cabeça a imagem da bola entrando, chutei... Gol!

Meu Deus, aquela coisa toda explodiu! Aquele silêncio se transformou... sei lá em quê, numa floresta de alegria pura, numa baderna maravilhosa, inacreditável! Eu ia sentir aquilo muitas e muitas vezes, aquele encontro com a felicidade do pessoal lá de cima, aquela sensação de que muito longe, em vários lugares do país, muitas pessoas com radinho de pilha estão comemorando junto com você. Tudo isso irrompe bem aqui dentro, no que a gente marca o gol. É uma coisa que apanha a gente, carrega, sai correndo junto também. Juro que senti o chão tremer, de tanto que o pessoal pulava e gritava. É assim mesmo, o chão treme, e a gente treme também, e sente aquela coisa dentro da gente querendo estourar — por isso tem que correr, pular, socar o ar... tudo e qualquer coisa!

> "Ele tinha que matar
> um leão a cada dia."
>
> Antunes, irmão mais velho de Zico

Ricardo Beliel/Abril Imagens

DRIBLANDO UM LEÃO POR JOGO

Depois de fazer aquele gol me senti como se o Maracanã tivesse ficado sabendo que eu existia. Até então, era como se eu fosse um intrometido que tivesse descido por acaso da arquibancada. Eu me via torcendo junto com a galera, mais do que em campo. E me sentia um torcedor, um garoto ainda, sei lá. Fazia tão pouco tempo, eu estava ali nas arquibancadas, implorando à bola que ela entrasse no gol adversário. E rezando, torcendo, me contraindo todo por dentro, com a bola ainda no ar, naquele suspense amedrontado pelo que estava prestes a acontecer... Agora estava no campo; o impulso da bola vinha dos meus músculos; o chute que eu antes pedia a Deus para alguém dar, cabia a mim acertar, agora. Sentia-me estranho, desencontrado...

Aí, fiz meu primeiro gol no Maracanã e o estádio abriu suas portas para mim, como se me chamasse para entrar em casa. Havia marcado meu gol, tinha ganhado esse direito, merecia pisar naquele gramado.

Eu era um jogador de futebol!

E o Maracanã iria mesmo tornar-se minha casa. Anos depois, eu me localizava no campo até de olhos fechados. Às vezes, chutava sem olhar para o gol — sabia que direção devia dar ao chute pela posição dos repórteres, que ocupam sempre os mesmos lugares, por trás da linha de fundo. Conhecia a textura do gramado, o quique da bola ali, tudo.

E foi ali também que comecei a suspeitar quem era o personagem principal do jogo... A torcida!

1971: Flamengo 2 e Vasco 1. Estréia de Zico como jogador profissional

Não tem erro. Quando futebol está no sangue de um jogador, tudo o que ele faz é pensando na torcida do seu time. Eu tinha na cabeça a alegria — ou as tristezas, às vezes — que estava dando a eles. Minha corrida de comemoração do gol era uma retribuição ao incentivo deles, era eu dizendo como era importante para mim que eles gostassem de mim e do meu futebol. Sempre comemorei meus gols com a minha torcida — e nunca debochando da torcida adversária. Acho que foi por isso que em todos os times que joguei — na Seleção Brasileira, no Flamengo, na Udinese e no Kashima — tive uma relação muito carinhosa com a torcida.

Bom, mas naquela época isso ainda era futuro. O time principal andava mal das pernas e o Freitas Solich, o treinador, resolveu dar uma mexida geral. Foi me buscar nos juvenis e fui lançado numa partida contra o Vasco, que ganhamos de 2 a 1 — gols do Nei e do Fio. Estávamos em 71 — eu tinha dezoito anos. Graças às minhas atuações, fui convocado para disputar o Pré-Olímpico, na Colômbia. As Olimpíadas ainda eram uma disputa de atletas amadores e o Brasil suou um bocado para conseguir a classificação. Conquistamos a vaga numa final dramática contra a Argentina e eu fiz o gol da vitória. O placar foi 1 a 0.

O Zagalo assumiu o cargo de técnico do Flamengo e, de cara, foi dizendo que me achava ainda muito inexperiente para ocupar uma posição no time principal. Pois é, olhavam para mim e ainda me achavam com jeito de garoto. E eu, de fato, era um garoto, e ninguém tinha como saber o quanto era forte dentro de mim a vontade de me firmar como jogador, o quanto estava decidido a vencer na carreira, custasse o que custasse. Problema meu como mostrar isso, não é?...

Mas... Poxa! Precisavam mesmo ter dificultado tanto as coisas?

É...

No time principal, ia ter que ficar na reserva, esperando uma chance a cada jogo. Daí o Antoninho, técnico da Seleção Olímpica, foi lá em casa e me aconselhou a voltar para os juvenis. Como juvenil, amador ainda, ele me garantiu que me convocaria para a seleção que iria disputar os Jogos Olímpicos.

Não foi uma decisão fácil. No time principal, eu já ia assinar meu primeiro contrato. Quer dizer, ia começar a ganhar meu dinheiro com meu trabalho, deixar de pesar lá em casa e iniciar minha vida, que era o que eu mais queria.

Mas acabei aceitando voltar para os juvenis. Afinal, era uma vaga na Seleção Brasileira e a possibilidade de disputar um título internacional!

Acontece que eu ainda tinha aquela fama de jogador franzino, sem corpo... Estava mudando, mas não tinha conseguido afastar de vez as desconfianças sobre minha forma física. No dia em que a convocação saiu no rádio — foi o próprio Antoninho quem leu a lista dos convocados —, cheguei em casa e percebi uma coisa estranha... O Edu estava me esperando no portão. Ele já tinha adivinhado como é que eu ia me sentir...

1971: Flamengo 1 e Fluminense 3.
Segundo jogo de Zico no Maracanã

— Não deu para você, Zico! Saiu a lista e seu nome não está lá! Olha, futebol tem dessas coisas...

E falou mais, falou à beça, mencionou diversos jogadores que também tinham ficado de fora, deu força o quanto pôde, lembrou que eu ainda era novo, que tinha muitas convocações pela frente...

Fiquei quebrado por dentro. Me senti traído... Se futebol era isso, então eu não queria mais saber de nada!

Minha família inteira me cercou, tentou me animar, mas eu não conseguia me recuperar. Alguma coisa, uma espécie de confiança nos outros, na justiça do mundo, tinha se desfeito. A seleção havia se classificado para os Jogos Olímpicos com um gol meu, eu confiara na promessa da convocação... Fiquei muito abatido e só pensava em largar o futebol. E aquilo me deprimia ainda mais, porque já me via sem fazer a coisa que mais adorava na vida.

Os dias foram rolando meio sem vontade nem jeito, até que chegou a final do Campeonato dos Juvenis. Estávamos decidindo contra o Vasco e terminamos o primeiro tempo vencendo de 1 a 0. Só que, além do meu estado de espírito — ainda bem por baixo —, ou justamente por causa disso, havia passado muito mal na concentração. Cheguei até a vomitar, e tudo o que eu queria era que chegasse logo o intervalo, já pensando em pedir para sair — estava me arrastando em campo no final do primeiro tempo.

Foi aí que esbarrei com o Zeca na entrada do vestiário, e ele fechou a cara para mim:

— Sair coisa nenhuma! Vai lá e joga! Você pode, sim! Você consegue! Vai ser campeão, garoto! É besta de pedir para sair numa decisão?

Foi aquilo que ele disse, foi o jeito dele falar, a confiança dele em mim... Foi o que fizeram com ele, com o Edu... comigo... Foi aquela vontade de não deixar meu futuro ir embora... Foi sentir que eu não ia conseguir me encarar se fugisse, que eu tinha que brigar... que podia brigar!...

Voltei para o segundo tempo. Fiz de tudo para entrar no clima do jogo e, quando faltavam dois minutos para terminar, veio um cruzamento da esquerda. Matei no peito, peguei de voleio e meti no ângulo direito do Mazzaroppi. Era 2 a 0, o gol do título.

A torcida ficou totalmente maluca. E eu com ela!

"Fama, dinheiro, tudo isso ele já tem. O Zico passou por tudo isso para poder estar aqui, tudo que ele fez foi porque gosta de bola!"

Sandra, mulher de Zico, comentando a volta dele ao time depois de um ano em tratamento, entre 86 e 87

MINHA SUPERCRAQUE

Em 73, eu estava novamente no time principal do Flamengo. O ataque era formado por Rogério, Afonsinho, Dario, Doval e Paulo César Caju. O técnico ainda era o Zagalo. Eu era o coringa daquele ataque. Ficava no banco e entrava no lugar de qualquer um deles, no meio do jogo, de acordo com os critérios do técnico e as necessidades da partida.

Claro que eu não estava satisfeito com essa situação. Mas o Zagalo insistia que eu ainda não estava pronto para ser titular. Por outro lado, passar por isso me ensinou a ter uma versatilidade muito grande e até mesmo a aprimorar algumas deficiências que eu tinha.

Hoje em dia mais ainda, mas desde há muito tempo ninguém pode fixar-se numa posição, num jogo. Um atacante que só tem um caminho em direção ao gol — jogador de uma jogada só ou, pior, time de uma única jogada — muito cedo vai ficar manjado. Vão colar um marcador em cima dele e o sujeito, por melhor que seja, tecnicamente, não vai mais conseguir jogar. Acho gozado quando um jogador reclama que está jogando fora da sua posição. Claro que há especialistas — e o melhor de cada jogador, o que ele mais sabe fazer, deve ser explorado. Mas, durante um jogo, tudo pode acontecer. Às vezes, não dá certo do jeito que você está acostumado, e é necessário improvisar, cavar caminhos, um pouco que nem a gente precisa fazer aí pelo mundo...

Naquele ataque, joguei em todas as posições. Armava,

lançava, distribuía da intermediária, invadia pelos flancos e pelo meio, fazia as assistências, centrava e finalizava. Tive que aprender a fazer um pouco de tudo, a aproveitar cada oportunidade que aparecia para mostrar o quanto poderia ser útil ao time.

Mas continuaria na reserva até 74, quando o Zagalo foi dirigir a Seleção Brasileira na Copa do Mundo.

Foi um período difícil. Precisava me superar em cada jogo, em cada treino, provar a cada dia para todo mundo que tinha condições de ser titular. Meu segredo é que contava com o apoio de uma supercraque...

Casei com a Sandra em 18 de dezembro de 75. Eu tinha vinte e dois anos, ela tinha vinte. A gente namorava fazia seis anos. Quando a Sandra comemorou quinze anos, fui eu que dancei a valsa com ela. Hoje, eu, no mundo, sou também ela, o Júnior, o Bruno e o Thiago. Quer dizer, uma coisa só.

1975: casamento de Zico e Sandra

Zico com os filhos, Thiago, no alto, Bruno, à esquerda, e Júnior, à direita

A Sandra é irmã da mulher do Edu. A gente se conheceu quando eles namoravam. Muitas vezes, o Edu saía com a Suely e lá íamos eu e a Sandra, segurando vela. Então, teve um jogo em Friburgo, um amistoso do juvenil do Flamengo. Pedi ao Edu para ir comigo e levar a Suely... que, por sua vez, levaria a Sandra.

Na volta, foi aquela de segurar na mão, de trocar beijinho...

A Sandra foi minha primeira namorada. E desde o princípio a gente sabia que a coisa era séria, era para casar. No período em que eu só chegava em casa às dez e meia, onze da noite, ela ficava me esperando no portão — era nossa vizinha, lá em Quintino —, e nunca reclamou de só dar tempo para um papo rápido, um beijo, raramente uma saída até a esquina, para tomarmos um refrigerante juntos. Também não reclamava dos finais de semana que eu precisava passar em concentração. Ela é Flamengo doente — e começou a assistir a todos os jogos.

Diz ela que, pelo jeito de me ver correr e chutar, já adivinha o que eu vou fazer e quando é que vou marcar o gol ou errar o chute.

Eu, que passei tanto tempo da minha vida em repouso, para me recuperar de alguma botinada, fazendo tratamento e em salas de musculação, tinha o consolo de ter, às vezes ao meu lado, noutras na minha retaguarda, minha família, a Sandra, garantindo meu recuo, minha casa, meu sossego. Ela sempre se empenhou em evitar ao máximo que qualquer coisa atrapalhasse minha carreira.

Nunca discutimos sobre problemas do futebol. Tinha vezes, no Japão, que meus filhos, já metidos a espertos e a mais entendidos no assunto do que qualquer um (principalmente eu), começavam a me marcar em cima, cobrando por que eu tinha errado um passe, deixado de fazer um gol... E a Sandra dava uma espanada neles: — Tão querendo mais o quê? Tão pensando que seu pai é infalível?... — A Sandra é assim, ela é quem garante minhas arrancadas.

Nunca reclamou dos afastamentos, das mudanças de país. Suportou comigo as barras, as pressões e as cobranças, assim como as expectativas... Era mais fácil acreditar que eu iria conseguir vencer, superar, sabendo que a Sandra, ao meu lado, não tinha dúvidas do que eu era capaz de fazer... nem mesmo nos momentos mais difíceis, como quando me machuquei em 85 e muita gente passou a apostar que seria obrigado a abandonar o futebol. Enfrentei a dor, o tratamento, o desânimo e o desespero mesmo, em algumas ocasiões... Mas eu tinha a Sandra.

A Sandra decidiu na vida ser uma supercraque como esposa, dona-de-casa e mãe. E conseguiu. Ela é a estrela, lá dentro de casa. Eu sou o marido dela, pai do Júnior, do Bruno e do Thiago.

Ribas

1985: Sandra, logo após a volta de Zico ao Brasil

"... ao contrário de todos os
jornalistas esportivos,
você fez aquilo que nós
sempre sonhamos em fazer:
você fez gols maravilhosos,
deu passes inesquecíveis,
encheu os estádios,
chorou de alegria,
tristeza e dor e foi amado
pela maior torcida da Terra.
O mais amado."

Juca Kfouri, *Placar* de 90

Paulo Nicolella/AJB

"VIDA QUE SEGUE!"

E stava com muitas esperanças na mudança de técnico, no Flamengo. O Joubert, meu técnico nos juvenis, havia assumido o cargo, no lugar do Zagalo. Só que o primeiro dia de trabalho do Joubert foi, para mim, uma tremenda decepção.

No vestiário, ele me deu a camiseta vermelha — a camiseta dos reservas. Fiquei me sentindo novamente o garotinho encolhido que, ali mesmo, naquele vestiário, anos antes, foi descartado pelo técnico à primeira vista, bem no dia em que acreditava que iria realizar o maior sonho da sua vida...

Meu primeiro impulso foi jogar aquela camiseta vermelha no chão, dar um chute em tudo e largar o futebol ali mesmo, naquela hora. Mas, em vez disso, o que eu fiz foi vestir meu uniforme e ir para o campo.

Não consegui entrar nos exercícios de aquecimento. Estava muito abatido. A meu lado, o Arilson, um ponta que já havia passado pela seleção e que agora estava na reserva do time, esperando uma nova chance, me deu o toque:

— Cara, parte pro treino como se fosse decisão de campeonato!

Era o que eu precisava. E ainda me lembrei: "Sou pago para dar duro, para jogar!"

No que o treino começou, corri feito um doido, fiz de tudo. O Liminha e o Rodrigues Neto começaram a reclamar comigo, alegando que eu estava puxando demais, fazendo com que tivessem que correr mais da conta para me marcar. Eu não queria nem saber. Fiz dois gols, cumpri minha obrigação para com o clube... e para comigo mesmo. Para comigo mesmo, minha obrigação é brigar para conseguir o que eu quero, e nunca recebi nada de bandeja. No final do treino, o Arilson veio me cumprimentar. Agradeci a ele e passei pelo Joubert, que estava com uma expressão enigmática no rosto — era como se estivesse tentando desfazer um nó dentro da cabeça.

No dia seguinte, recebi a camiseta branca — havia ganho a posição de titular do time. Logo receberia também a camisa 10 e passaria a jogar mais avançado, no ataque.

O time estava se reformulando, com a entrada do pessoal que havia conquistado o Campeonato dos Juvenis. E foi aí que o Geraldo foi promovido à equipe titular.

O Geraldo foi meu grande companheiro de tabelinhas. Um sabia o que o outro ia fazer e já lançava a bola apostando na capacidade do outro. Era incrível o domínio que ele tinha sobre a bola. Jogava sempre de cabeça em pé, não olhava para baixo — e a bola nunca desgrudava da chuteira dele. Eu ficava espantado:

— Como é que você faz isso, cara?

Há jogadores que, com o tempo e a experiência, conseguem ter essa telepatia com a bola. Mas o Geraldo fazia isso com vinte anos! Mais tarde, vi o Leandro jogar do mesmo jeito, no Flamengo. Tinha um feitiço lá entre eles e a bola, juro que tinha.

Lá em casa, adoravam o Geraldo. O velho Antunes o chamava de "meu filho marrom". E o Geraldo fora meu amigão, companheiro de farras de solteiro.

Quer dizer, eu não deixei de fazer coisa nenhuma que os

outros sujeitos da minha idade faziam. Se tivessem dito para mim que eu não poderia aproveitar a vida, sair e me divertir, juro que não ia seguir carreira. Afinal, queria ser jogador porque isso me dava prazer, e não ia ter uma vida infeliz por causa disso. Acontece que fazia as coisas com moderação. E respeitava meus compromissos com o clube e com os meus companheiros de time. Então, se tinha um jogo ou um treino cedo no dia seguinte, não ia virar a noite num programa, mas podia voltar para casa às onze horas, meia-noite...

Geraldo tinha fama de rebelde, de não gostar de treinar, de não cuidar da forma física. Mas era a rebeldia dele que surpreendia todo mundo em campo — principalmente os adversários. Era o que criava a jogada inesperada, aquela que saía do certinho e colocava a gente de cara pro gol, o passe de curva que encontrava o pé da gente no meio de uma moita de zagueiros, o lançamento a distância — como se fosse um milagre, com endereço do destinatário muito bem explicado.

O Geraldo era um gênio.

Ari Gomes / AJB

À esquerda, Geraldo, jogador do Flamengo e grande amigo de Zico

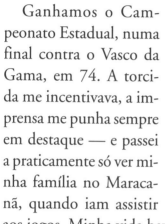

FLAMENGO SUPER CAMPEÃO CARIOCA DE 1974

À esquerda: equipe vencedora do Campeonato Estadual.
Primeiro título de Zico como jogador profissional

À direita, 1974: Zico e o troféu do Campeonato Carioca

Ganhamos o Campeonato Estadual, numa final contra o Vasco da Gama, em 74. A torcida me incentivava, a imprensa me punha sempre em destaque — e passei a praticamente só ver minha família no Maracanã, quando iam assistir aos jogos. Minha vida havia mudado bastante.

Procurava corresponder ao que se esperava de mim dentro de campo. Além dos treinamentos coletivos e de controle de bola, batia até oitenta faltas por dia, das mais variadas posições. Chegava a bater dez a vinte pênaltis por dia — costumava avisar ao goleiro onde ia colocar a bola, para me dificultar ainda mais. Isso, naturalmente, sem contar os exercícios físicos e minha eterna musculação.

Claro que, à medida que minha produção subia em campo, aumentavam também o número e a violência das sarrafadas com que tentavam me parar. Em 75, o Flamengo foi jogar um amistoso com o São Paulo, no Morumbi. Eles venceram de 2 a 0 e, no final, o técnico, para explicar sua vitória, declarou:

— O Zico, ah, ele afina! Ele corre do pau!

Era mais uma injustiça contra mim. Não era pago para ser lutador de vale-tudo, mas jogador de futebol, para jogar na bola, para driblar, passar, lançar... Não para dar nem para receber coices. E, fugindo do pau, como afirmou aquele técnico, grande parte da minha vida passei me recuperando de botinadas. Perdi a conta de quantos dias, semanas e meses passei imóvel na cama, engessado, andando de muletas. Como é que eu apanhava tanto, se não fosse por sempre tentar enfrentar a marcação?

Mas a coisa se espalhou. Havia jogadores adversários que chegavam para mim proferindo ameaças aos cochichos: — Se entrar aqui na área — disse um certo goleiro —, eu te arrebento!

Eu reagi fazendo gols nele.

Por toda a minha carreira, enfrentei diversas tentativas de desacreditar meu futebol. Já disseram que eu só era bom jogador no Maracanã, que não sabia jogar na seleção, que não suportava marcação à européia, e mais dezenas de acusações às quais respondia jogando. Era o que eu sabia fazer: jogar futebol.

Engraçado que, mesmo provando o que era capaz de fazer em campo, aconteciam coisas absurdas. Sabem a rivalidade entre Rio e São Paulo? Pois é... Enquanto a imprensa daqui me punha no alto, a paulista tinha lá seus preferidos. Então...

Em 79, fui convocado para um amistoso entre a Seleção Brasileira e o Ajax, em São Paulo. O placar estava 3 a 0 para nós. Fiz um gol e o placar se manteve inalterado.

Marquei outro, e o placar continuou a ignorar minha presença em campo... Até o final da partida, manteve aquele 3 a 0 debochado. Não sei como os responsáveis pelo estádio não tiveram uma idéia mais brilhante ainda... contabilizar meus gols para o Ajax. No mínimo, ia servir para os jogadores holandeses ficarem imaginando como eram diferentes as regras do futebol jogado no Brasil...

Esse tipo de coisa a gente é obrigado a engolir calado sem fazer escândalo. Elas machucam e continuarão machucando se tudo continuar na mesma. Além do mais, sabia que não era nada de pessoal contra mim, o Zico, era algo que aconteceria a qualquer outra pessoa colocada no meio daquele fogo cruzado. E havia aprendido alguma coisa sobre o que é perder... Perder coisas importantes.

Em 76, numa decisão da Taça Guanabara contra o Vasco, o título já estava na mão. Fomos para a disputa

1976: Zico perde o pênalti na decisão da Taça Guanabara contra o Vasco

Delfim Vieira / AJB

de pênaltis. Era minha vez de cobrar: se eu marcasse, seríamos campeões.

Só que eu errei. Baixou um silêncio no estádio, uma coisa assustadora, que me agarrou e me deu um nó no estômago. Até hoje, não deu para esquecer. Tive vontade de desaparecer do mundo. Dava para sentir a dor do pessoal, lá em cima. E, do outro lado, a torcida do Vasco explodindo!...

Ia errar outro pênalti decisivo, em 86, no jogo contra a França, na Copa do México. Foi triste, era o melhor jogo da seleção até aquele momento. Entrei no segundo tempo — era como o Telê vinha me aproveitando, por causa da contusão que havia sofrido no joelho, no ano anterior — e estava frio. Pedi ao Sócrates para bater, mas ele me passou a bola. Eu era o cobrador de pênaltis do time, era minha a responsabilidade. Bati... e errei.

Isso também foi uma perda, como foi uma perda sentida

1986: Zico perde o pênalti na Copa do México, no jogo decisivo contra a França

Delfim Vieira / AJB

à beça ser eliminado da final da Copa de 78, por uma atitude indigna da seleção do Peru, que entregou o jogo para a Argentina. Havíamos ganhado da Polônia de 3 a 1, e a Argentina, com a qual tínhamos empatado no jogo anterior, precisava vencer por uma diferença de quatro gols. O jogo deles contra o Peru foi retardado — modificaram o horário, na véspera, para que a partida acontecesse depois da nossa. Assim, entraram em campo sabendo de quantos gols precisavam. E, mal começou a partida, vimos que a Seleção Peruana não ia para a bola, corria sem querer alcançar. O resultado foi o 6 a 0 desonroso.

Mas aquela nossa seleção sempre esteve mal, trocando de esquema a cada jogo, cheia de dificuldades. O técnico era o Coutinho. Na época, ele era fascinado pela tática, pelos sistemas de jogo — encantara-se com a Seleção Holandesa, em 74, com o famoso carrossel. Mais tarde, os jogadores e o técnico da Holanda explicaram que o que se viu em 74 não foi fruto deliberado de um esquema de jogo super-rígido, treinado à exaustão — nada disso. Pelo contrário, era a maneira de jogar encontrada pela seleção deles, já que tiveram pouquíssimo tempo para treinar. Assim, não deu para fixar um esquema, e puseram a liberdade e a criatividade em campo. Avançavam na base do imenso talento de Cryuff e companhia.

A derrota para a Itália, na Copa da Espanha de 82, foi mais injusta ainda do que a desclassificação em 78. Os italianos souberam se aproveitar de falhas individuais nos três gols — depois do último, nos perdemos inteiramente em campo. Ficamos desnorteados, ninguém conseguia mais raciocinar com lucidez. Tudo o que a gente queria era ir para a frente e fazer o gol de qualquer maneira, era não deixar a derrota, a desclassificação acontecer, fosse lá como fosse. Nosso sonho, toda a nossa dedicação para trazer aquela copa para casa, para nossa torcida, foi perdida no que o Sócrates,

1982: Seleção Brasileira da Copa da Espanha

Pedro Martinelli / Abril Imagens

muito bem, chamou de acidente de trabalho.

Mas, infelizmente, eu haveria de aprender que perda, aquela que a gente sente e não tem remédio mesmo, era muito mais do que isso...

Era 76, estávamos em Fortaleza — o Flamengo havia disputado um amistoso. De repente, escutamos no rádio a notícia: o Geraldo, que havia ficado no Rio para extrair as amígdalas, morrera num acidente cirúrgico. Logo ele, que adiou essa operação o quanto pôde, que só topou fazer quase obrigado pelo clube. O Geraldo, meu melhor amigo na época...

Não conseguia acreditar na notícia, até chegar de volta ao Rio, até ver o corpo dele sendo velado no Flamengo.

Perdas... Coisas que não dá para recuperar. Coisas que vão e só deixam saudades. Sem prorrogação, sem segundo tempo, sem returno, sem temporada do ano seguinte, sem próxima vez.

Perdas... Perda sem remédio. A dor é menor do que a perda. A dor da perda passa, ou a gente se acostuma a ela. A perda... não tem volta.

Meu pai morreria em 86. E foi como se rompesse algo da minha vida para trás de mim — me deixando solto, estonteado —, uma ligação com minha infância, com o passado que até eu desconhecia. Ao mesmo tempo, eu o sentia tão forte, dentro de mim, sentia que ele estava tão

Matilde e José Antunes Coimbra, pais de Zico, na sede do Juventude, em Quintino

Arquivo do autor

presente... só que não podia vê-lo. Foi duro de entender. Sempre achei que a parte mais sólida de mim vinha do meu pai. Quando ele se foi, senti como que a responsabilidade de preservar isso, sozinho, sem ele para me lembrar.

Tudo o que pude pensar para me consolar era em passar o que ele me transmitiu para meus filhos...

Perdemos o Coutinho... e o Bosco, o supervisor de futebol do Flamengo, em tantas conquistas. Perdemos o Figueiredo, zagueiro do nosso time campeão do mundo, tão novo também, num desastre aéreo que matou ainda um irmão do Bebeto.

Perdas que a gente aceita porque não tem outro jeito e enfrenta como pode. Daí, sente-se pequeno, fraco. Vulnerável. Lembra que o nosso tempo é curto, tão curto que passa.

Dói e a gente chora, mas...

Como o Saldanha costumava dizer: "Vida que segue!"

"Ele foi um grande jogador porque sempre se dedicou à carreira com muito amor."

João Saldanha, *Placar* de 90

Marcelo Theobald/AJB

UM POR TODOS E TODOS PELO TIME

Quando o Coutinho retornou da Copa da Argentina, veio com uma cabeça totalmente mudada. Até então, era apaixonado por esquemas táticos, jogadas ensaiadas e coisas assim. Tudo isso é importante, é claro. Mas, quando voltou ao Brasil, Coutinho despertou para a necessidade de valorizar o talento do jogador e a sua criatividade. Deu de dizer coisas como:

— Querem saber? Vocês são tão bons, que o que têm de fazer é entrar em campo, esquecer a complicação toda se não estiver dando muito certo, e partir driblando pra cima deles!

Por outro lado, o Flamengo teve a virtude de manter a espinha dorsal do time, desde 74, por um período em que não ganhamos título nenhum. Graças a esses dois elementos, a equipe foi se aprimorando.

Daí, acho que dá para a gente deduzir duas coisas. Primeiro que o grande mérito de um técnico é saber perceber o maior talento de cada um de seus jogadores e criar um esquema de jogo em que esse potencial seja aproveitado ao máximo. Claro que na seleção é mais fácil, o técnico até pode ter um esquema na cabeça e daí convocar aqueles jogadores que mais se enquadram. O segundo ponto importante, para mim, é que um time não se forma de uma tacada só. Não adiantam bombásticas contratações, de uma temporada para outra. Quer dizer, reforços ajudam bastante quando já existe uma base do time. Não se consegue formar uma equipe reunindo um bando de atletas e colocando-os para jogar juntos, de repente. Leva tempo, os jogadores precisam conhecer um ao outro, precisam começar a adivinhar a cabeça do outro. O time cresce coletivamente. Precisam, até, saber improvisar com uma certa harmonia, para não atravessar o ritmo. E precisam desenvolver relações de respeito mútuo e de liderança, que é o que conduz a equipe no calor de uma partida.

Em 78, o Flamengo deu uma grande virada. A prata da casa — outro elemento importante para o sucesso daquele time, pessoal identificado com a camisa e com a torcida — foi lançada na equipe principal. O Júnior eu já conhecia desde os campeonatos de futebol de salão. Apesar da sua aparência de festeiro, era um cara meio fechado, quase tímido. Mas dentro de campo se transformava, liderava a equipe, empurrava... Mostrava uma garra fenomenal.

O Rondinelli já estava no time. A torcida, com muita razão, o adorava e o chamava de "deus da raça rubro-negra". O Tita e o Adílio vieram juntos do juvenil. O Adílio pegava a bola, ia com ela e ninguém tomava dele. Na área,

Rolando / AE

Cláudio Coutinho, ex-técnico da Seleção Brasileira e do Flamengo

era um inferno, driblava todo mundo. Só derrubando o cara conseguiam parar, senão o Adílio entrava no gol, como se fosse na cama dele, bem daquele lado onde a gente costuma deitar. Havia técnicos adversários que, para me marcar, botavam dois jogadores grudados em mim o tempo todo. Daí, o Adílio comia o jogo.

O Andrade foi cria do Flamengo, junto com o Adílio. Emprestado a um time da Venezuela, voltou mais tarde e se firmou logo na equipe. Era um tipo de volante muito raro. Ligava ataque e defesa como ninguém. Não era um mero cabeça de área, era ofensivo, armava o ataque e protegia a defesa. Nosso time tinha uma jogada que já era realizada quase que por instinto. O Tita, pela direita, era raçudo toda vida e marcava bastante. Daí, o Leandro tinha mais proteção para avançar. Mas, do lado do Júnior, quando ele se mandava para frente, acontecia o seguinte — o Mozer cobria a lateral e o Andrade recuava para

Andrade, companheiro de Zico no Flamengo

fechar a zaga. E isso era automático. Percebêramos o buraco que se criava na defesa quando o Júnior avançava, conversamos a respeito, ensaiamos o desenho do time em campo até a exaustão e deu nisso.

Quando um time se relaciona na base do respeito mútuo, logo se cria um clima em que um chama a atenção do outro, ou cobra do outro alguma coisa, mas todos sabem e sentem que não é uma atitude pessoal, não é pirraça — é para o bem da equipe, para o bem de todo mundo e até do próprio jogador que é questionado. Afinal, num time vencedor, todo mundo se valoriza. Com um clima desses, cada um faz o que tem que fazer para ganhar a partida. Vencer é mais importante do que tudo, até do que certas vaidades...

O Nunes começou no Flamengo, depois passou pelo Santa Cruz de Recife e retornou mais tarde para nossa equipe. Ele era um atacante que chutava bem com as duas pernas e cabeceava com perigo. Mais importante, movimentava-se o tempo inteiro. Era tarefa ingrata marcar o Nunes. Mas ele, eventualmente, exercia funções que hoje podem parecer estranhas a um matador.

Estávamos em Nápoles para um amistoso contra o Napoli. Ora, havíamos estudado a maneira da equipe italiana jogar e percebemos que todas as jogadas deles começavam com o Kroll. Então, combinamos o seguinte com o Nunes: no que a gente perdesse a bola, ele partiria para cima do Kroll e não deixaria ele armar. Resultado: ganhamos do Napoli de 5 a 0 e, no final do jogo, todo mundo cercou o Nunes entusiasmado. Ele foi o herói daquele jogo e estava muito satisfeito por não ter permitido ao Kroll jogar.

Nossos homens de frente, inclusive eu, tentávamos

Nunes, companheiro de Zico no Flamengo

pressionar a saída de bola do adversário. Isso aliviava o meio de campo, dava tempo à defesa de se reconstituir. Claro... Não era ótimo quando alguém da defesa — o Júnior e o Leandro, especialmente, mas não apenas eles — vinha reforçar o ataque? Então, se perdíamos a bola, o negócio era compactar o time — fechar o avanço do adversário para dar tempo ao pessoal da defesa de reassumir suas posições. São essas coisas no futebol que, acredito, funcionam como formadoras de caráter. É um jogo de equipe em que não se pode querer os louros só para si. Ou o time joga bem ou um sujeito iluminado, sozinho, não pode — e nem deve se atrever a pensar que pode — resolver a parada. Solidariedade na nossa equipe fazia parte da determinação de vencer. Não tínhamos hora para encerrar os treinos. Terminávamos quando a jogada que queríamos ver reproduzida em campo começava a sair com perfeição. Às vezes, íamos treinar no Carecão, um campo de terra batida, na Gávea, que era onde podíamos ensaiar cruzamentos, colocação e tudo o mais... E isso apesar dos berros de pânico do dr. Célio Cottechia, com medo de que alguém torcesse o tornozelo nos buracos do campo. Mas tomávamos cuidado e ficávamos lá sem imprensa para ver, sem torcida, até o técnico já tinha ido para casa...

Aprendi com meu pai a respeitar meu trabalho e a valorizar o que consigo com meu esforço. Todo dia tínhamos que treinar finalização e passes. São nossos instrumentos de trabalho. Passe é o mais importante no jogo: no futebol coletivo, quem acerta mais passes chega mais perto do gol. E, justamente, o passe mais simples e mais sem enfeite é o mais tedioso de treinar — é só um jogador dando a bola para outro, nada mais... Exatamente o que mais se erra nos jogos! Para mudar isso, claro que dá trabalho! Mas a gente estava lá para quê?

Eu me habituei a ser o jogador mais cobrado. Estava em evidência o tempo todo, era minha responsabilidade, inclusive, dar o exemplo de dedicação e profissionalismo, não faltar aos treinos sem motivo justo, não perder vôos nem horários. Sabia que o pessoal mais novo, principalmente, ficava de olho em mim dentro do campo. Então, lembrava o que o Zizinho, cracaço do Flamengo, disse para mim certa vez...

— Olha, Zico, tem dias em que a bola não dá certo pra gente. Então, tem que simplificar, correr, marcar, tentar entrar no jogo de outro jeito. Quando a estrela do time começa a pegar, contagia os outros. É por isso que a estrela, o grande nome, o cara mais visado tem que perceber o momento, precisa se dar conta de que não está dando certo e tentar de outra maneira.

Eu queria fazer carreira, queria ser o melhor, ou pelo menos estar entre os melhores. Então, isso tinha um preço, havia responsabilidades incluídas nesse objetivo. Sempre assumi que era importante para o time. Era importante eu estar em campo dando tudo.

Existe essa cobrança pesada sobre o craque; às vezes, é uma cobrança mais maldosa...

Há alguns anos, meus filhos — tinham nove, dez anos na época — estavam disputando uma pelada sem compromisso que foi assistida por um jornalista. No dia seguinte, saiu uma matéria comentando a atuação deles. Entre outras besteiras, dizia que filho de galo nem sempre passa de pintinho, ou qualquer coisa assim. Ora, se uma criança é exigida assim, por ser filho de um jogador famoso, quanto mais o próprio. Faz parte da coisa, não se pode querer ser destaque do time e não ser cobrado. É como querer aproveitar apenas a parte boa da coisa, sem pagar o preço.

Ainda tinha quem dissesse e publicasse que eu só era jogador de Maracanã. No entanto, em 79, o Enzo Bearzot me convocou — e ao Toninho, lateral do Flamengo — para integrar a Seleção do Resto do Mundo, numa partida contra a Argentina, em Buenos Aires. Só que a apresenta-

ção foi marcada para antes de um Fla-Flu que podia decidir o tricampeonato para o Flamengo. Graças à interven-
ção de um amigo do Coutinho, o empresário do futebol
italiano Giuliodori Lamberto — que seria muito importante, mais tarde, na minha transferência para a Udinese
—, a apresentação foi adiada para os jogadores brasileiros.
Na verdade, chegamos ao hotel faltando menos de duas
horas para o jogo.

Só entrei na equipe no segundo tempo, debaixo de um
coro de vaias estrondoso, no Monumental de Nuñes. A Seleção do Resto do Mundo estava perdendo de 1 a 0. Aos vinte
e quatro minutos, dei um chapéu no Passarella e enfiei a bola
para o Paolo Rossi (ele mesmo!). Um jogador argentino as-
sustou-se e acabou fazendo gol contra. Cinco minutos depois, o Toninho cruzou da direita. Recebi na entrada da pequena área e toquei rasteiro. Resto do Mundo 2 e Argentina
1. E o Zeca, na volta, profetizou que aquele teria sido o gol
mais importante da minha vida. Se eu pensar na minha carreira no exterior, talvez ele tenha tido razão...

Em 78, ganhamos a Taça Guanabara e o Campeonato Carioca. No ano seguinte, fomos bicampeões da Taça Guanabara e ganhamos os dois campeonatos estaduais realizados — éramos tricampeões cariocas. Em 79, inclusive, fomos campeões invictos. Era a primeira vez que isso acontecia, na história do campeonato estadual do Rio de Janeiro.

O time já contava com a serenidade do Raul e com Leandro, um craque refinado, que trabalhava a bola com os dois pés.

Fora isso, havia aquele ambiente gostoso do Flamengo, na época. Eu tinha prazer em ir para a Gávea, em ficar com o pessoal do time. Treinar era uma delícia. Claro que é uma coisa repetitiva... Precisa de paciência para treinar. No começo, nas primeiras vezes que se tenta desenhar a jogada, sai tudo torto, frouxo, uma porcaria. Parece que aquela encenação toda não tem sentido algum. Mas, à medida que a coisa vai aparecendo como tem que ser, recompensa a gente. Então, a gente tinha não só paciência para treinar, como também gostava. Sentíamos que cada um ia aprimorando sua técnica, pelo fato de estarmos jogando juntos. Sentíamos o time cada vez melhor. E que cada um, através do seu esforço, valorizava-se profissionalmente.

Para acertar de vez a equipe, só faltava o Lico.

1979: Campeonato Carioca. Zico comemorando gol do Flamengo contra o América

"... senti nitidamente seu caráter, a maneira como se destacava no grupo. E isso sem jamais exigir regalias, sempre pedia em favor do grupo. Com isso, conquistou o respeito e a admiração dos companheiros."

Cantarele, goleiro do Flamengo

Paulo Nicolella/AJB

O JOGO QUE VIROU GUERRA

Se eu tivesse que fazer uma seleção dos melhores jogadores do Flamengo de todos os tempos — daqueles que vi jogar, pelo menos —, o Lico tinha que estar nela. Foi ele que arrumou aquele time. O Lico sabia tudo de bola, de colocação em campo, de dar o ritmo a uma partida; era ele que dava a cadência de nosso time. Com o Lico, as triangulações pela esquerda começaram a sair também, assim como pela direita. Nisso, ele veio dar mais uma alternativa de ataque ao time. E, como ele fechava mais o meio de campo, eu podia me soltar para ir à frente. Prender a bola no ataque era com ele mesmo — o que facilitava à beça a vida da nossa defesa. Enfim, pode ser que o Lico não tenha recebido todo o reconhecimento que merecia — futebol e a própria vida têm dessas coisas —, mas, se forem perguntar a qualquer um que jogava naquele time, todos vão dizer a mesma coisa. Com o Lico, nossa equipe ficou completa.

Claudine / AE

E tratava-se de uma equipe difícil de ser derrotada. Era mau negócio fazer 1 a 0 naquele time. Quando estávamos atrás no marcador, parecia que a gente crescia para cima do adversário e o impren-

Lico, companheiro de Zico no Flamengo

sava, até conseguir empatar ou até mesmo virar o jogo. O time possuía poder de pressão, inúmeras jogadas que estávamos mais do que acostumados a realizar. E, principalmente, graças ao nosso trabalho, ao nosso entrosamento, tínhamos muita confiança para improvisar, para mudar tudo na hora do jogo se fosse necessário. Para conseguir brecar a gente, o outro time tinha que ousar marcar o Flamengo sob pressão, ou seja, não se deixar intimidar e partir para cima. Aí, diminuíam nossos espaços para armar as jogadas, para ir avançando na base do toque de bola e nos obrigavam a dar chutões para frente, que é sempre uma solução meio que de desespero, imprevisível. Se não reduzissem a precisão de nossas jogadas, se jogassem na retranca, dandonos espaço para irmos progredindo com a bola dominada, então a coisa ficava difícil para o adversário. Quando acordavam no jogo, estavam acuados, sendo invadidos por todos os lados.

A gente tinha a consciência de que era um time muito forte e que esse fator impunha respeito aos adversários dentro de campo. Isso pesava contra os outros times. Mas nada foi por acaso, nada foi por sorte. Não era mágica nem truque que pintava de um instante para o outro, tanto como poderia desaparecer sem explicações. Daí a confiança que a gente possuía em campo. Sabíamos que tínhamos suado bastante para chegar ao ponto em que chegamos.

Fomos à final do Campeonato Brasileiro — chamado de Taça de Ouro, naquele tempo — contra a equipe do Atlético Mineiro. Era uma disputa em ida e volta e o primeiro jogo foi no Mineirão. Eu estava contundido e não pude jogar. Logo no começo, Rondinelli foi atingido no maxilar e nocauteado. Pelo jeito horrível com que ele ficou se contorcendo, de olhos revirados, todo mundo pensou que tivesse sido algo muito grave. O Rondinelli ainda tentou se levantar, dizendo que ia voltar para o campo de qualquer maneira, que tinha que voltar, que não ia ficar de fora de jeito nenhum... mas caiu de novo.

Perdemos aquele jogo por 1 a 0, gol do Reinaldo, e a decisão ficou para o Rio de Janeiro.

O jogo aqui já começou com alguns jogadores do Atlético ameaçando fazer e acontecer. O Chicão estava batendo como o diabo e mandando todo mundo bater também. Teve uma hora que não agüentei e lhe disse que aquelas faltas iam acabar dando a vitória para a gente. E foi mesmo a partir de uma falta cobrada pelo Tita que eu recebi de jeito e coloquei a gente em vantagem no marcador — terminamos o primeiro tempo em 2 a 1.

No vestiário, um bilhete do Rondinelli esperava pela gente, dando força. Todo mundo sabia o quanto o Rondi devia estar sentindo não poder jogar aquela decisão. Aquilo nos uniu um bocado. Acho que foi o que segurou o time — nossa união — no início de descontrole causado pelo gol de empate do Atlético: Reinaldo outra vez!

Chicão continuava ber-

1978: Rondinelli disputando o Campeonato Nacional

rando e distribuindo bordoadas. O Reinaldo entrou num bate-boca com o juiz — era o José de Assis Aragão — e acabou expulso. Mesmo assim, o empate dava o título ao Atlético. O segundo tempo estava quase terminando quando Nunes — sempre ele!, o sujeito que não considerava bola nenhuma perdida — recebeu, deu um drible no zagueiro, ficou de cara para o goleiro e enfiou uma sapatada lá para dentro do gol.

Foram cento e sessenta mil no Maracanã e mais não sei quantos pelo Brasil afora gritando aquele gol, ecoando cá no coração da gente. O Flamengo era campeão brasileiro e tinha vaga assegurada na Libertadores da América.

Então, aconteceu aquela armação meio enojante para cima do Coutinho...

No ano seguinte, disputaríamos várias competições simultâneas. Corria um boato na Gávea sobre dispensa de jogadores, sobre novas contratações... Foi quando apareceu uma lista de jogadores no vestiário que, não sei bem como, foi atribuída ao Cláudio Coutinho. Seriam os nomes dos jogadores que ele não queria mais no time. Aquilo criou um mal-estar que acabou inviabilizando a continuidade dele no cargo de técnico.

Hoje, não sei se acredito que aquela lista tenha mesmo sido feita pelo Coutinho. Ele era um sujeito que gostava de diálogo e entretanto, por alguma razão, começava a incomodar setores da política do Flamengo — os mesmos que, anos mais tarde, iam deixar minha relação com o clube de um jeito que só me restou ir para a Itália. Além disso, o Coutinho era rubro-negro doente. Disse várias vezes que não treinaria outro clube no Brasil que não fosse o Flamengo. E, de fato, depois de sair do clube, deixou o

1980: Campeonato Brasileiro. Flamengo 3 e Atlético Mineiro 2

país. Deu para sentir como o Coutinho ficou abalado com o afastamento, a ponto de nem procurar se defender na imprensa. Dava a impressão de alguém que fora traído, e que estava sendo injustiçado, que tinha a sua verdade mas não possuía meios de prová-la.

Entramos em 81 com objetivos muito ambiciosos. Só de pensar, dava um certo susto... Precisávamos ganhar a Taça Guanabara, que nos classificaria para a final do Campeonato Estadual. Só que nunca, na história do Rio de Janeiro, houve um tetracampeão em torneios esportivos. Mas achávamos que ia ser loucura tentar disputar a Libertadores com a cabeça no segundo turno do Estadual. E, no final do ano, em Tóquio, haveria a decisão do Mundial de Clubes, depois de passarmos pelo Campeonato Brasileiro.

Bem, ganhamos a Taça Guanabara e, no embalo da disputa da Libertadores, enfrentamos o Botafogo. Por muitos anos, na geração alvinegra de Gérson, Jairzinho e companhia, o Flamengo fora considerado freguês do Botafogo. Havia um placar atravessado na garganta de todo rubro-negro, um vergonhoso 6 a 0, que o Botafogo havia conseguido sobre nós em 72. Daí, entramos em campo, os gols começaram a sair e, quando chegou em 4 a 0 para o Flamengo, a torcida começou a gritar: — Queremos seis! Queremos seis!

Em campo, a gente já estava naquela de administrar o jogo. Mas, acima de tudo, era a nossa torcida pedindo e a maioria de nós ali, em campo, era Flamengo, tão torcedor quanto qualquer um da arquibancada...

— Vamos dar isso para eles! — comandou o Júnior. — A torcida merece!

Bem, tudo pela torcida! O Adílio entrou do jeito dele pela área e foi derrubado: pênalti. Bati e converti. E a torcida cada vez mais febril, mais excitada. Não sei o que ia acontecer com eles se a gente não fizesse o sexto. Acho que ia ser uma frustração, uma mágoa que não mereciam, não depois de todo o apoio que deram à gente. A dois minutos do final, o Andrade enfiou uma bomba de direita, que deixou até ele próprio tonto, quanto mais o Paulo Sérgio, goleiro do Botafogo. Era o 6 a 0 que a torcida queria.

1981: Campeonato Estadual

1981: Copa Libertadores da América. Flamengo 0 e Cobreloa 1

O primeiro jogo da final da Libertadores, contra o Cobreloa, do Chile, foi em 17 de novembro. Ganhamos de 2 a 1. Era uma vantagem estreita, já que a segunda partida, marcada para o dia 20, era na casa do adversário.

Logo que desembarcamos no aeroporto, em Santiago, começamos a desconfiar que havia alguma coisa esquisita nos rondando. Aquilo não parecia expectativa para um jogo, mas para uma guerra. Por todo o tempo, fomos intimidados por cachorros e soldados. Para piorar as coisas, escalaram para o jogo um árbitro que, do começo ao fim, deixou os chilenos bater à vontade.

Acho que ficamos em estado de choque. Demoramos a perceber o que estavam armando contra a gente. De repente, Júnior caía no chão e era pisoteado. O Lico teve dentes quebrados e ficou quase cego de um olho, por causa de um soco de um zagueiro brutal, chamado Mário Soto. Eu não podia pegar na bola, que levava pontapés e socos de todos os lados.

Enfim, não dava para a gente acreditar. O técnico chileno havia declarado no jornal que o Flamengo podia até jogar melhor futebol, mas que o Cobreloa era melhor em *outra* coisa... E, por toda a semana, a imprensa chamou a torcida para apoiar o Cobreloa, alardeando que estava em campo a honra do Chile. Ou seja, estava havendo um massacre físico, covarde e imoral, no gramado, com os jogadores chilenos protegidos pela tropa policial, cães inclusive, para o caso de a gente tentar reagir. E a torcida aplaudindo cada lance... não lance de bola, não jogadas, mas cada lance de agressão.

Quando percebemos que ali não estava se jogando futebol, os chilenos já haviam marcado 1 a 0. Veja bem... Com todo esse aparato, o time deles só conseguiu marcar um único gol. E apenas porque o chute deles raspou na cabeça do Leandro e tirou o Raul do lance — uma infelicidade. Por nosso lado, não conseguíamos atacar. Mal atravessávamos o meio de campo, éramos abatidos.

À noite, no hotel, contabilizamos nossos feridos. O time parecia mesmo ter saído do campo de batalha. Eram hematomas, curativos, bolsas de gelo, e a gente tentando esfriar a cabeça para o jogo final, já que a vitória do Chile forçara uma terceira partida.

Se fôssemos partir para a vingança, eles até poderiam vencer o terceiro jogo, e isso seria uma grande injustiça. Portanto, o que tínhamos a fazer era jogar futebol e torcer por um árbitro de verdade.

O jogo aconteceu no dia 24, em campo neutro — no Estádio Centenário, no Uruguai. O árbitro segurou logo de início a tentativa dos chilenos de repetir o massacre de Santiago.

Claro que havia um sentimento de revolta contra o Cobreloa. Num lance impensado, Andrade voou sobre um deles, que havia acabado de dar uma entrada assassina no Júnior. Expulso, saiu de campo atordoado. Agiu sem pensar. Andrade nunca foi de dar pancada e só percebeu o que tinha feito quando era tarde demais. A expressão do seu rosto era de total confusão, enquanto descia para o vestiário e o Carpegiani, num acesso de irritação e de preocupação com o prejuízo que aquilo poderia nos causar na partida, gritava:

— Que burrice, Andrade! Que burrice!

Perto do final, o próprio Carpegiani mandou o Ancelmo entrar para dar o soco no Mário Soto — um direto no rosto. A equipe não sabia de nada — assistimos àquilo e

Ancelmo, do Flamengo, agredindo Mario Soto, do Cobreloa

ficamos sobressaltados. Podia até ter roubado nosso título, se os chilenos tivessem cabeça fria e categoria para aproveitar os dois ou três minutos de descontrole que sofremos. O jogador foi quem saiu mais prejudicado. Admitida a intencionalidade da agressão, pelo Carpegiani, em entrevista aos jornais, Ancelmo foi suspenso de partidas internacionais.

Mas a taça estava na mão! Na nossa!... Realmente, os dois gols que fiz contra o Cobreloa, naquele jogo, foram muito saborosos. Um em cada tempo, e o Flamengo mandou de volta para casa uma equipe que nunca honrou a final de um campeonato jogando futebol. Foram dois gols legítimos, fruto do nosso esforço, do trabalho coletivo e da raça que o Flamengo precisa apresentar em todos os jogos. Foi assim que conquistamos o título de campeões da Libertadores da América.

Na chegada ao aeroporto, Leandro se atirou nos braços da torcida. Chorando e agitando a bandeira do clube, ele e os torcedores cantaram aos berros o hino do Flamengo. Essa é a imagem final daquele campeonato e a imagem do que era esse time, da sua ligação apaixonada com o futebol, com o clube e com sua torcida.

Antônio Mafalda / Abril Imagens

Taça Libertadores da América

"Ele mudou a história do clube. Existem dois Flamengos: antes e depois de Zico."

George Helal

VENCER, VENCER, VENCER!

No Rio de Janeiro (como em muitos outros estados), o campeonato que mais empolga a torcida é o Estadual. É entre os times locais que as rivalidades estão mais acesas. Jogamos contra o Cobreloa na terça-feira, chegamos ao Rio na quarta e na quinta estávamos garantindo a conquista do terceiro turno, numa vitória de 5 a 1 contra o Volta Redonda. Tínhamos ganhado o primeiro turno — a Taça Guanabara — e o terceiro. O Vasco, que vencera o segundo turno, ia para a final contra a gente numa disputa de três jogos. Bastava o Flamengo empatar um deles e o título era nosso.

Mas não deu para comemorar por antecipação. Parece que, na história daquele time, estava escrito que tudo deveria ser conquistado com sacrifício e com dor.

Coutinho viera ao Brasil de férias. Nos Estados Unidos, onde estava morando, teve que se afastar de um de seus esportes favoritos: pesca submarina. Aqui, estava disposto a matar as saudades e saiu para um mergulho, do qual não retornaria com vida. Ao que parece, foi vítima da descompressão súbita que acontece quando um mergulhador tenta subir à tona rápido demais. O Júnior, convidado para a peixada que ia sair da pesca do Capita, acompanhou seu corpo sendo trazido à terra, na praia de Copacabana. O time inteiro ficou arrasado...

O Vasco ganhou os dois primeiros jogos. A gente não conseguia se ligar no que estava acontecendo em campo. Parecia um absurdo estar ali jogando, quando o que cada um queria era ficar quieto, lembrar, chorar...

Então, veio o terceiro jogo. A dor ainda era forte, mas de repente nos demos conta de que o melhor que poderíamos fazer pelo Coutinho era ganhar o campeonato... em homenagem a ele, e à nossa torcida. Logo ele, que havia sido um torcedor, antes de tudo, que desembarcara no Brasil parabenizando a equipe pela conquista da Libertadores, sem mágoas nem ressentimento, e ainda predizendo:

— Esse time está destinado a ser campeão do mundo!

Foi o Flamengo disposto a render uma homenagem a Coutinho que entrou em campo. Lico estava com um lado do rosto coberto de esparadrapo e inchado, por causa das agressões que sofrera contra o Cobreloa e até mesmo nos dois jogos anteriores contra o Vasco. A torcida compareceu

1981: Flamengo e Vasco, Campeonato Carioca

em peso, acreditando, mandando para a gente apoio, carinho, compreensão sobre como estávamos nos sentindo... E, o mais impressionante, dava para perceber que eles estavam se sentindo do mesmo jeito. Era como se dissessem: "Vocês podem até perder esta, que a gente entende e continua junto de vocês. Aliás, foi principalmente para isso que viemos aqui... perdendo ou ganhando, para estarmos todos juntos, nesta hora!"

No que o Nunes entrou em campo, percebeu essa coisa no ar, sentiu um arrepio no corpo, voltou-se para mim e, bem baixinho, disse:

— Zico!... Mas que loucura!

Ele nem precisava explicar o que estava falando... Todo o time percebeu... Naquele primeiro tempo, em quatro minutos, marcamos dois gols. E começamos a crescer, como se fosse um toque de tambor se aproximando. O Vasco ainda descontou no segundo tempo. Mas o campeonato estava ganho. E como que para confirmar que a torcida sabia exatamente o que estava acontecendo em campo e dentro de nós, quando o juiz apitou o final do jogo um coro de mais de cem mil pessoas começou a gritar o nome do Coutinho.

Minha camisa daquele jogo, assinada por todo mundo, foi para o filho do Coutinho, o Cascão. A gente chorou muito por aquela conquista, um choro de alegria e dor que parece tornar as vitórias realmente da gente, que faz elas pertencer de fato a quem sabe o quanto custou vencer.

Estávamos prontos para enfrentar os ingleses em Tóquio e tentar cumprir a profecia de Cláudio Coutinho.

Nosso adversário era o Liverpool, que já dava declarações à imprensa na condição de campeão do mundo ante-

1981: Mundial Interclubes. Flamengo 3 e Liverpool 1

cipado. Quando vieram me perguntar sobre o favoritismo dos ingleses, eu o confirmei:

— São, sim... favoritos para o segundo lugar, que eles vão aprender que é muito honroso!

A partida foi no dia 13 de dezembro. Fizemos nossa corrente, nos concentrando para o jogo, no vestiário. No entanto, mal subimos ao gramado e topamos com o risinho debochado dos ingleses para cima da gente; Júnior chamou todo mundo para se juntar de novo:

— Tão vendo o jeito deles? — esbravejou o *Capacete*.

— Tão pensando que somos uns *Zé das Couves*! E aí? Como a gente fica?

— Como?...

Combinei com o Nunes de jogar mais atrás. Já sabia que a marcação deles vinha pra cima de mim.

— Se enfia nos vazios, Nunes! — pedi.

Nessa, foram dois gols contra os ingleses — o primeiro e o terceiro. No primeiro, um cruzamento que dei da esquerda e que o Nunes viu onde ia cair, antes de a bola sair do meu pé. Já estava esperando por ela — um toque de leve, gol! No segundo, Adílio aproveitou o rebote de uma falta batida por mim. No terceiro, lancei a bola do meio de campo e o Nunes pegou livre, correu com ela dominada e, com o goleiro do Liverpool saindo da meta já vendido, fuzilou. Isso tudo no primeiro tempo.

No segundo, só fizemos administrar a vitória, pensando que era mais um título que ofereceríamos ao Coutinho, nosso Capita, e em como nossa galera devia estar de tanta alegria, aqui no Brasil. Aliás, nem tinha terminado a partida ainda, e um trocava um olhar meio que maroto com o outro — só isso, e ambos já sabiam do que se tratava. Estávamos só imaginando:

— Já pensou como a torcida deve estar agora?

À direita,1981: Zico e a taça do Mundial Interclubes

Abaixo, Zico dando a volta olímpica com a chave-símbolo do Toyota, prêmio de melhor jogador em campo do Mundial Interclubes

"Zico (...) se coloca
na galeria dos monstros
sagrados do futebol."

Roberto Ricão, *UH Esportes*

Ignacio Ferreira/Abril Imagens

UMA TARDE NO SARRIÁ

A gente entrou o ano de 82 respirando Copa do Mundo. E tinha todas as razões para estar esperançoso de conquistar o Caneco.

Mas primeiro o Flamengo queria ser novamente campeão brasileiro. Por quê?

Quer dizer, por que a gente queria vencer um torneio que já havia vencido antes? E se já havia inclusive vencido outro, teoricamente mais importante? Por que de novo?

E o mais engraçado era que a gente iria querer vencer quantos mais campeonatos houvesse pela frente... Não se conformava em perder e, se agüentasse, ia querer até jogar todo dia.

Acredito que isso faz parte da vida e do esporte. É a tal história do não se acomodar, do não se conformar em já ter sido, mas querer continuar sendo e crescer sempre. De não se aceitar sendo mais-ou-menos, se é possível melhorar. É fome de vitória, sim. É gostar de vencer, porque a vitória e o título consagram um trabalho longo, difícil, em função do qual se abre mão de muitas coisas. Teve uma vez, já na Itália, em que um jogador foi contratado para a Udinese. Ele estava muito nervoso e tentou discutir comigo seu problema:

— Olha só! Esse time (a Udinese) nunca se destacou no Campeonato Italiano. Agora, está contratando a gente. Já imaginou a responsabilidade? Só falta quererem que o time ganhe o campeonato...

— Mas claro! É isso mesmo o que eles querem! E eu

também! — respondi, para espanto do meu colega de time. Então...

Na primeira fase do Campeonato Nacional, foram oito jogos e apenas um empate. Taí, se amolecêssemos o jogo, nas últimas partidas, iríamos cair numa chave bem mais fácil na fase seguinte. Só que ninguém nem admitia pensar nisso e tivemos que disputar uma única vaga com nada menos do que Internacional, Corinthians e Atlético. Passamos com três vitórias, dois empates, uma derrota, e pegamos a seguir o Sport Recife, depois o Santos e, mais à frente, o Guarani. Iríamos decidir o título com o Grêmio, campeão do ano anterior. Foi uma decisão duríssima. Empatamos o primeiro jogo no Rio e também o segundo, em Porto Alegre. Isso forçou um terceiro jogo, marcado igualmente para o Estádio Olímpico, em Porto Alegre. Nosso imbatível Nunes marcou 1 a 0 no primeiro tempo. No segundo, os gaúchos botaram a garra toda que tinham para fora, forçaram o máximo. Mas conseguimos segurar o placar. Éramos campeões brasileiros, mais uma vez. Uma delícia!

1982: Flamengo, campeão brasileiro

Daí, a Copa da Espanha...

Pois é... O máximo que eu posso pensar sobre aquela Copa do Mundo, principalmente, é claro, sobre a partida contra a Itália, é que não era a nossa vez. O que adianta, hoje, ficar procurando colocar a culpa em fulano, em beltrano?

O Telê, que muita gente achava azedo e exigente demais, gozado, me lembrava o Coutinho, depois que o Capita voltou da Copa da Argentina. O Telê é um cara apaixonado pelo futebol bonito, bem jogado. O que mais enfatizava nos treinamentos eram os coletivos, e não é à toa. Como poucos, o Telê sabia que um time precisa se conhecer, daí o esquema de jogo nasce, ou se consolida. Então, o negócio é botar a turma para jogar junta, mesmo, o mais possível. No resto, o que ele exige é profissionalismo. Jogador que cumpre suas obrigações e que se empenha não tem problemas com ele. Claro que o Telê é daquele tipo que se você, em dez chutes a gol, acerta nove, ele vem cobrar de você o tal que saiu errado, vem dizer que você devia ter se concentrado mais ao bater, que devia ter caprichado mais na pontaria, que treino é coisa séria... Ele é assim. Mas poucos treinadores dão mais liberdade ao jogador dentro de campo — o que abre espaço para aparecerem as boas jogadas, aquelas que realmente decidem, as mais criativas.

Pedro Martinelli / Abril Imagens

Telê Santana, ex-técnico da Seleção Brasileira e do Flamengo

Acima, à esquerda, 1982: Zico, Getúlio, Reinaldo e Sócrates, durante os amistosos da Copa de 82

Acima, à direita, Sócrates com seus filhos Eduardo e Gustavo, na sede do Futebol Clube do Rio

Ao lado,1987: equipe do Futebol Clube do Rio, precursora do Centro de Futebol Zico

Eu me entendia muito bem com o Sócrates. Logo que começamos a jogar juntos, na seleção, combinamos que devíamos nos empenhar para minimizar as rivalidades famosas entre Rio e São Paulo, tanto da imprensa quanto das torcidas. Assim, aparecíamos juntos e fazíamos declarações sempre reforçando a união do grupo — que, de fato, existia.

O Sócrates era mesmo um caso à parte entre os grandes talentos do futebol. Não vou ficar falando sobre sua inteligência, sua cultura, suas preocupações sociais... O fato é que a convivência com ele era bastante enriquecedora. Em campo, ou nos debates sobre o desempenho do time, Sócrates sempre atuava em favor do grupo, nunca por si próprio. Não era um sujeito de querer aparecer individualmente. Sentia-se melhor, e recompensado, em reforçar o grupo. O Magrão e eu ficamos tão amigos que me empenhei para trazê-lo, depois, para o Flamengo. Pena que, por circunstâncias variadas — inclusive por problemas de contusões —, acabamos jogando apenas três vezes juntos no rubro-negro. Outra curiosidade é que foram os filhos do Sócrates, junto com os meus, que formaram o Futebol Clube do Rio, o time que veio dar no Centro de Futebol que dirijo hoje em dia. Mas a seleção de 82 era uma equipe em que dava gosto jogar. De certa forma, havia ali o mesmo clima que tínhamos no Flamengo. O jogador bom espera sempre o máximo do companheiro e já dá o lance que vai exigir isso. O médio aguarda o outro agir e depois pensa o que vai fazer. Com isso, perde-se tempo. Num time afinado como aquele, todo mundo vai apurando os reflexos, a previsão e a antecipação de jogadas. E cada um passa a se superar, para corresponder ao crescimento do time, para ter sempre algo a mais para oferecer. Era isso o que estava acontecendo com aquela seleção — a gente tinha consciência de que era uma equipe muito forte. Dispúnha-

Pedro Martinelli / Abril Imagens

1982: Seleção Brasileira da Copa do Mundo da Espanha

mos de inúmeras alternativas de ataque, técnica, talento, estávamos bem preparados...

E... por outro lado, como se fosse uma lição de vida, mesmo uma equipe como aquela tropeça. E logo adiante uma seleção em crise, desacreditada, brigada com a torcida e com a imprensa do seu país. E, entretanto, é bom que se diga, uma seleção com os brios tocados, com espírito competitivo, uma equipe que superava sua falta de jogadas de ataque com uma ânsia sem limites de lavar a alma. O mais incrível, naquela tarde miserável no Sarriá, é que tudo o que eles tinham contra nós era enfiar o Paolo Rossi por entre os zagueiros. E isso deu certo três vezes. Aproveitaram-se com competência de falhas individuais contra nossa seleção, que já era considerada uma das melhores entre as que haviam participado das copas do mundo.

O 3 a 2 dos italianos foi tão amargo que o Júnior, expressando bem o que todos estavam sentindo ali, disse no vestiário, com uma cara de condenado:

— Galinho... a vontade que dá é ir pra cama e dormir quatro anos, pra só acordar na hora de poder desfazer essa injustiça!

Pois é, lição de vida... O velhinho lá em cima deve saber o que faz. Dá a uns, não dá a outros, dá algumas coisas à gente, não dá outras. E só resta aceitar!

1982: menino chorando, símbolo do sentimento brasileiro após a desclassificação do Brasil na Copa da Espanha

Reginaldo Manente / AE

"… Porém, meu adeus
será colorido de gratidão
por poder dizer de boca
cheia, como tantos:
Eu vi o Zico jogar!"

Francisco Horta, *UH Esportes*, 6/2/90

Ricardo Chaves/Abril Imagens

ITÁLIA À VISTA

R etornamos para um Brasil que ia mergulhando de cabeça numa tremenda recessão. Claro que isso ia afetar, e muito, o futebol. Os estádios se esvaziaram — a alegria do futebol não tinha mais como se fazer presente!

Com a diminuição das rendas dos jogos, e os campeonatos sempre deficitários mantidos por dirigentes que não se preocupam com a saúde financeira dos clubes, a renovação do contrato dos jogadores mais famosos começou a se tornar um problema sério. Por outro lado, despertados para a qualidade de nossos jogadores, depois do Mundial da Espanha o mercado europeu começou a aterrissar aqui com propostas irrecusáveis.

A verdade é que eu nunca quis sair do Flamengo. E isso desenrolou-se numa história cheia de subterfúgios e de lances por debaixo do pano, típicos dessa mesma cartolagem em ação predatória contra o futebol e os times brasileiros.

Depois da decepção da Copa da Espanha, retornei ao Brasil com uma idéia fixa na cabeça. Queria ser pentacampeão da Taça Guanabara e bicampeão brasileiro, no ano seguinte. A final da Taça Guanabara seria decidida contra nosso adversário já tradicional, o Vasco da Gama. Perderíamos o Campeonato Estadual para o Vasco, mas na Taça Guanabara vencemos o segundo jogo, com um gol do Adílio.

No Campeonato Brasileiro enfrentamos uma final contra o Santos. No primeiro jogo, em São Paulo, perdemos de 2 a 1. No segundo, no Maracanã, joguei machucado. Havia sentido uma fisgada no músculo da coxa direita, num treino durante a semana, e andava sentindo muitas dores. Ninguém, além do treinador — Carlos Alberto Torres — e dos médicos do clube, sabia da minha contusão, ou isso podia atrapalhar muito nosso time. Eu queria fazer um gol logo de cara, para poder relaxar sobre o andamento da partida.

E, por sorte, foi justamente o que aconteceu. Com quarenta segundos de jogo, aproveitei um rebote de um chute do Júnior e mandei para dentro. Mais um pouco e o Leandro faria o segundo gol do Flamengo.

Minha perna não estava incomodando e, assim, voltei para a etapa complementar. Aquela decisão foi um grande *show* do Adílio. Com o time do Santos precisando vir para cima, o Adílio ganhou o espaço que precisava para avançar com a bola dominada e sair driblando de um jeito que há muito eu não via numa partida de futebol. Foi ele quem fez o terceiro gol, aos quarenta e quatro minutos.

Não era só a dor no músculo que estava me preocupando naquela decisão... Ali no Maracanã, eu era praticamente a única pessoa a saber que aquela era a última partida que disputaria pelo Flamengo...

Pelo menos, por um bom tempo.

Tudo começou quando o empresário Giuliodori Lamberto — o mesmo que havia conseguido com o Enzo Bearzot o adiamento para minha apresentação à Seleção do Resto do Mundo — procurou-me trazendo uma proposta da Udinese.

Já era a segunda tentativa de me levar para a Itália, por parte do Lamberto. Como da primeira vez, pedi a ele que se entendesse diretamente com o Flamengo, com o qual eu tinha contrato, e com seu presidente, Dunshee de Abranches.

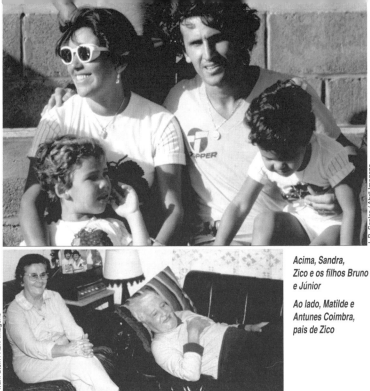

J. B. Scalco / Abril Imagens

Avani Stein / Abril Imagens

Acima, Sandra, Zico e os filhos Bruno e Júnior

Ao lado, Matilde e Antunes Coimbra, pais de Zico

Não estava de fato interessado em me afastar do Brasil. Tinha razões afetivas e profissionais para permanecer aqui. Meu pai, desde as primeiras investidas para me levarem para o exterior, dizia:

— Não tem dólar suficiente no mundo para tirar um filho meu de junto de mim...

Sabia o quanto ele iria se ressentir da minha partida. E, de fato, deixar para trás a minha família ia me pesar muito. Precisava também considerar as dificuldades dos meus filhos em relação à mudança de país...

Havia ainda minha ligação com o Flamengo, com os jogadores, com o clube e com a torcida. Naqueles primeiros dias, quando se começou a discutir a proposta italiana, eu não conseguia me ver fazendo gols e correndo para uma torcida que não fosse a do Flamengo. Seria como chegar em casa, bater na porta e alguém estranho abri-la para mim... E não era o caso de mais dólares ou menos. Financeiramente, também, não me interessava sair do clube. Em dois anos, eu teria passe livre. Então, poderia realizar uma negociação na qual ficaria com todo o dinheiro — e não apenas com os quinze por cento de praxe, se fosse vendido e o clube ainda ficasse com meu passe.

Mas a discussão sobre a renovação do meu contrato foi tumultuada pelas manobras do então presidente do Flamengo. Na última hora, conseguimos um patrocinador — a Adidas —, que complementaria meus honorários em troca da exploração publicitária da minha imagem, já que a proposta do Flamengo era bastante inferior ao que eu havia estabelecido como um mínimo para permanecer no clube.

A entrada da Adidas na negociação deixou a mim e a meus procuradores muito satisfeitos. Já estávamos praticamente comemorando a renovação do contrato com o Flamengo quando Dunshee de Abranches, informado da novidade, tentou uma cartada. Declarou que a firma patrocinadora havia sido trazida para a negociação anteriormente, por ele próprio, e que a proposta financeira do clube já incluía o dinheiro oferecido pela Adidas. Nada disso era verdade, a Adidas não tinha nenhum acordo — sequer um contato — com Dunshee de Abranches, e, de todo esse episódio bastante lamentável, concluo apenas que a presidência do clube já havia decidido me vender de qualquer maneira, fosse qual fosse a solução que eu encontrasse, para impedir que eu ganhasse passe livre, ao completar dez anos de trabalho contínuo no clube e trinta e dois anos de idade, como prescrevia a lei.

Com efeito, não me restou outra alternativa que não aceitar a transferência para a Udinese, na Itália.

É muito grande a distância entre a torcida, sua paixão, sua explosão de alegria nos estádios e os dirigentes, com suas manobras sinuosas, fechados entre quatro paredes, suas armadilhas e ardis. Mas não é difícil distinguir quem alimenta de quem destrói essa coisa bonita que é ver um jogo bem jogado, um espetáculo de talento e garra, oferecido a dezenas de milhares de pessoas, como se fosse uma festa, uma comemoração ao que dá prazer de viver.

À esquerda, 14/6/83: Sandra e Zico desembarcando em Milão, acompanhados por Francesco Dal Cin, diretor esportivo da Udinese

À direita, foto superior, com um aperto de mãos, Zico e Dal Cin reiteram o compromisso do jogador na Udinese, logo após a assinatura do contrato

À direita, foto inferior, 16/6/83: chegada de Zico em Udine, aclamado por uma multidão de fãs

"O futebol precisava dele nos campos para devolver a alegria aos torcedores."

Paulo Vítor, ex-goleiro do Fluminense e da Seleção Brasileira, *Jornal do Brasil*, 22/6/87

Marcelo Theobald/AJB

CAÇA AO GALINHO

Passei quase dois anos na Itália e se, por um lado, nunca deixei de sentir saudades da minha terra e do pessoal que deixei por aqui, por outro me apaixonei pelo povo italiano e pela região de Udine. Cheguei lá sozinho — Sandra e as crianças viriam depois de algumas providências estarem tomadas — e já isso me fez sentir meio estranho. Mas o Edinho estava lá para me receber. Ele já era jogador da Udinese e entusiasmara-se pelos planos dos dirigentes do clube — com o diretor esportivo, Dal Cin, à frente — de promover o fortalecimento da equipe. Minha contratação, segundo Dal Cin me prometera, seria a primeira iniciativa no sentido de tornar a Udinese realmente competitiva, dentro do Campeonato Italiano.

Peguei o inverno mais frio na Itália nos últimos quarenta anos. A região era lindíssima, totalmente diferente da natureza no Rio de Janeiro, é claro. Era um espírito especial. Havia os Alpes Austríacos, lá no fundo, forçando o olhar da gente a apontar para o céu e a imaginação a se intrigar com o fato de coisas tão antigas, como aquelas montanhas, poderem estar ali, ao nosso lado, participando da vida da gente. No inverno, a neve cobria tudo, e um vento zangado soprava lá fora. Daí, se dá mais valor ao aconchego de casa, a uma lareira, à proximidade da mulher, ao barulho que as crianças fazem pela casa. Quer dizer, prestava-se atenção a determinados detalhes que faziam a gente ter certeza de estar em outro lugar, mas que também sugeriam que lar é uma coisa que se leva dentro da gente. Não sei se estou conseguindo me explicar direito. O que quero dizer é que sentir que minha casa era algo que fazia tão parte de mim, que me acompanhava, me deu uma certa sensação de autonomia e, ao mesmo tempo, me reconfortou, apesar da distância da minha terra, do que eu havia chamado de meu lugar por tantos anos, da saudade que eu sentia.

Bom, mas tudo isso começou a acontecer depois que a Sandra chegou. Meu desembarque na Itália foi uma balbúrdia festiva que congestionou o aeroporto. Nunca esquecerei o carinho dos torcedores daUdinese, que vieram me receber em Milão, junto com os dirigentes do clube. Isso sem contar a imprensa, naturalmente. Era uma esperança muito intensa, vinda daqueles torcedores que nunca haviam comemorado um título, sequer uma classificação mais expressiva, no campeonato. Eles confiavam em mim e eu estava absolutamente ansioso para tentar corresponder. O que importou, naquele primeiro contato com a torcida, foi que reconheci o mesmo ardor pelo futebol ao qual estava acostumado no Brasil.

Se de fato o povo do Norte da Itália, onde fica Udine, pode ser considerado mais sossegado, no transcorrer do campeonato eles foram se esquentando, pelo menos dentro do estádio. O que faltava a eles era estímulo para desembèstar a torcer.

E o fato é que toda a

9/10/83: Zico e Edinho antes do jogo Udinese e Fiorentina

AP / AJB

minha ansiedade, toda a minha expectativa diante da mudança de clube e de país, só foi sossegar com o nosso primeiro jogo. Foi um amistoso contra o Hadjuk, um time iugoslavo. O Edinho já havia feito 1 a 0... De fato, futebol é o meu hábitat, é com ele que eu consigo dizer melhor quem eu sou, o que eu quero, com ele expresso com mais facilidade o que sinto pelas pessoas. E, em resposta à generosidade com que fui recebido por aquela torcida, o que eu tinha que fazer era marcar um gol. Daí, fiz o meu, e o pessoal da Curvasu — onde estava concentrada a mais fanática torcida da Udinese — explodiu. E eu também... era toda a tensão que vinha me acompanhando desde a negociação com o Flamengo, finalmente, me deixando em paz; era a certeza de que havia feito algo que, no final, ia dar alguma coisa de bom.

Sandra chegou com as crianças; Helena e Pelezinho, nossos empregados, vieram para cuidar da casa — e o campeonato começou. Os melhores jogadores do mundo, naquele momento, estavam jogando na Itália, e a disputa era acirradíssima. De fato, a grande luta da Udinese era para não ser rebaixada — conseguimos, tivemos vitórias expressivas, como o 1 a 0 contra o Roma, cheio de astros do futebol internacional, em novembro de 83. Em toda a história da Udinese, era a primeira vez que conseguiam vencer a equipe do Roma. O gol foi meu, com lançamento do Causio — que até hoje é um grande amigo.

Nunca senti tanto o peso da responsabilidade de ser o jogador mais em evidência da equipe como na Udinese. No Flamengo, por exemplo, aconteciam coisas engraçadas... Lembro que, na hora de a gente sentar nos bancos do ônibus, para ir da concentração ao estádio, os jogadores mais novos, e mesmo alguns dos outros, faziam a maior cerimônia comigo. Se eu deixasse, viajava sozinho — o ônibus inteiro batendo papo e ninguém sentava do meu lado. Eu é que tinha que me levantar e sentar do lado de alguém. Mas na Udinese a coisa chegou a ponto de um jogador reserva, certa vez, ser escalado para jogar na equipe e começar a passar mal — confessou que tinha medo de jogar ao meu lado, pois estaria sob o olhar de todos se errasse um passe para mim ou se perdesse um daqueles gols feitos, que eu entregava, cara a cara com o goleiro.

Quando me machucava — e, à medida que comecei a fazer gols e a me destacar, os zagueiros de lá declararam aberta a temporada de caça ao Galinho —, não tinha tempo de me recuperar. A pancadaria concentrava-se em mim, no ataque daquele time e, no entanto, a equipe dependia de minha presença, a torcida não se conformava se eu não estivesse jogando. Era um exagero, confiavam demais no indivíduo, num jogo que tem sua força no coletivo.

Não nos saímos brilhantemente no campeonato. Garantimos nossa permanência na primeira divisão, apenas isso. Fui o vice-artilheiro, com um gol atrás do Platini, que jogou seis partidas a mais do que eu, numa equipe bem mais forte. Fui também escolhido como o melhor jogador do campeonato, mas isso não me deixou satisfeito. Eu e o Edinho estávamos acostumados a jogar em equipes cheias de gana para meter a mão na taça. Equipes que participavam dos campeonatos não para constar, mas disputando o título. Ambos viemos para a Udinese confiando nos planos do Dal Cin, que acabou deixando a diretoria do clube. Com isso, encerrou-se a renovação da equipe. As contratações prometidas a nós nunca aconteceriam. E terminavam as esperanças da Udinese de ganhar qualquer título. Jogar assim deixava a mim e ao Edinho desestimulados.

Entretanto, eu permaneceria na Itália, se não tivesse sido envolvido numa trama que, aparentemente, tinha como alvo principal o presidente da Udinese, Lamberto Mazza, e eu, como bode expiatório.

Era uma disputa entre a Federação Italiana e o Mazza. Acontece que uma empresa suíça havia entrado junto com a Udinese na compra do meu passe. Essa firma estaria autorizada a explorar publicitariamente minha imagem — e, desse faturamento, me pagaria uma parcela dos honorários. Só que, através de complicadíssimos artifícios jurídicos, conseguiram vetar a atuação da firma suíça. Logo, eles não fizeram uso comercial da minha imagem, não faturaram e não me pagaram um tostão. A própria Udinese, através do seu presidente, resolveu compensar meu prejuízo, pagando-me uma parte do que a firma suíça deveria me repassar. Sobre esse dinheiro, paguei todos os impostos que deveria. Só que a justiça italiana entrou com um processo contra mim, alegando que eu devia ao fisco a arrecadação sobre a parte que a firma suíça, por força do contrato, deveria ter me

1983: Fagner e Zico em sua casa, em Udine

1983: Sandra e Zico com os filhos Bruno e Júnior, em Veneza

pago. Como nunca recebi esse dinheiro, estava com a consciência tranqüila, não devia nada a ninguém... Só que provar isso, ainda mais quando a intenção por trás era a tentativa por parte de figurões da Federação Italiana de pressionar o presidente da Udinese, era muito difícil. Espalhou-se também a notícia de que o Mazza, presidente da Udinese, pretendia utilizar o prestígio do time na região para candidatar-se a algum cargo político... Mas o que é que eu tinha a ver com isso?

Compareci normalmente às audiências do julgamento, apresentei minha versão da história, fiz tudo o que deveria fazer. Até mesmo entreguei meu passaporte à justiça italiana, como prova de que não pretendia fugir para o Brasil, como era divulgado constantemente pela imprensa. De fato, um grupo no Flamengo já articulava um grande acordo entre empresas patrocinadoras para me trazer de volta ao clube. Mas eu só sairia da Itália quando tivesse cumprido todas as minhas obrigações.

No último julgamento, o juiz perguntou como havia me conformado em receber da Udinese, como eu explicara, menos dinheiro do que havia combinado quando ainda estava em vista a participação da firma suíça:

— É que na minha terra, senhor juiz, há um ditado... Mais vale um pássaro na mão do que dois voando!

O juiz não gostou muito da resposta.

Passar por tudo aquilo me desencantara bastante. No Brasil, seguiam os preparativos para as classificatórias da Copa de 86. A diretoria do Flamengo havia mudado e a Estrutural Propaganda fechara finalmente o *pool* que viabilizaria a compra do meu passe pelo Flamengo: era o chamado Projeto Zico. Meus advogados aconselharam que eu fosse tratar de meus negócios no Rio de Janeiro ao fim da audiência — garantiram que eu seria absolvido. A sentença, de qualquer maneira, só sairia mais tarde. Minha família já estava aqui e, assim, peguei de volta meu passaporte e vim para o Brasil no dia 23 de maio de 85.

Havia uma certa tensão no aeroporto, muitos boatos espalhando que eu seria detido se tentasse sair do país — ou minha imaginação voou demais ou havia de fato policiamento extra por lá. Fiquei indignado.

Dei duro na vida por tudo o que consegui. Não admitiria sair fugido de lugar nenhum, até porque não devia nada a ninguém. Houve quem me sugerisse que deveria adiar a viagem ou tentar saber do policiamento qual seria a postura deles se eu tentasse embarcar. Não fiz nada disso. Com meu passaporte na mão, e plenamente dono do meu direito de ir e vir, passei pelo portão de embarque, como qualquer passageiro, com esta cara limpa que Deus me deu,

incluindo o inconfundível nariz com que Ele houve por bem me distinguir. O filho de seu Antunes não ia sair pela porta dos fundos nem tremer por causa da polícia!

Ninguém tentou me barrar coisa nenhuma — para decepção, talvez, de alguns repórteres por lá, que ganhariam uma matéria explosiva para a primeira página, e de uns e

1985: volta de Zico ao Brasil

1985: Moraes Moreira na festa do retorno de Zico ao Brasil

outros por aqui, que rezavam para que minha volta ao Flamengo não desse certo. No entanto, ao contrário do que me garantiram meus advogados, fui condenado naquela primeira instância a pagar multa e a oito meses de prisão. O tribunal julgou-me culpado de lesar o fisco. Não me conformei... Mesmo aqui no Brasil, onde ninguém me poria a mão, não aceitei ter meu nome sujo em lugar nenhum. Apelei, fiz gastos por conta disso e, numa instância superior — um tribunal sobre o qual a política da Federação Italiana de Futebol exerce menos influência —, fui absolvido; todas as acusações contra mim foram retiradas.

Durante todo o episódio, a torcida da Udinese compreendeu que eu fora envolvido numa trama com a qual, de fato, não estava comprometido. Nas saídas das sessões do julgamento, eles estavam sempre me esperando, para me prestar apoio, pedir autógrafos e até me dar flores de presente. Em homenagem a eles, e carinhosamente, em 89 levaria para Udine, para o estádio Comunale del Friule, meu jogo de despedida da Seleção Brasileira...

Foi pisar na minha terra e abrir um sorriso. Por minha vontade, saía do aeroporto direto para o Maracanã, de preferência para disputar alguma decisão diante da torcida do Flamengo. Nunca podia esperar que, dois meses e pouco depois, iria viver o drama da pior contusão de toda a minha carreira.

"Passes precisos, a frieza no gol. Ele renasceu."

Antonio Maria Filho,
em artigo comentando a volta de Zico
ao futebol no Fla-Flu de junho de 87,
Jornal do Brasil, 22/6/87

Carlos Magno/AJB

UMA BOTINADA E QUATRO CIRURGIAS

Dia 29 de agosto, uma partida contra o Bangu.
Recebi a bola na intermediária e parti para a área.
Fugi da falta do primeiro zagueiro, que me deixou
meio desequilibrado. O segundo veio para cima de mim,
levou um drible e ainda tentou me parar na base do
pescoção, mas me livrei dele também. Aí, veio o terceiro,
voando baixo. Era o Márcio Nunes. Os pés dele passaram
por cima da bola sem a menor preocupação em acertar nela:
o alvo era meu joelho esquerdo. Pegou com tudo!

Se, naquele momento, eu tivesse adivinhado o que me
aguardaria nos próximos meses — na verdade, a última
operação que realizei, em conseqüência, mesmo que indi-
retamente, dessa lesão, foi em 94 —, não sei qual teria sido
minha atitude, ali, no momento. Talvez largasse tudo e fosse
para casa aproveitar a vida.

Ou não...

É, acho que não agüentaria mesmo. Sempre disse que
queria parar um dia com o futebol, e não que o futebol
parasse comigo. Queria parar jogando, não por causa de
uma lesão. E, depois, tinha a Copa para disputar, tinha
tanta coisa que achava que ainda poderia obter do futebol,
tanta coisa que eu achava que ainda poderia fazer...

E, se eu parasse, ia acordar toda manhã e pensar que
ainda poderia estar jogando. Ia me xingar de covarde, de
uma porção de coisas mais, para o resto da vida, por não
ter tentado; ia ficar imaginando onde eu estaria, se não
tivesse parado, o que estaria fazendo. Ia ter delírios, pesadelos, me vendo jogar uma ou outra partida, que eu só

poderia assistir pela televisão.

"Vai ter o dia de parar. Claro que vai. Mas é diferente. Parar assim, cara, não dá!... Não dá!"

Logo depois da contusão, fiquei vinte e um dias sem jogar. Voltei ao time do Flamengo, mas era evidente que eu não conseguia fazer nada direito com a bola.

E havia a questão da

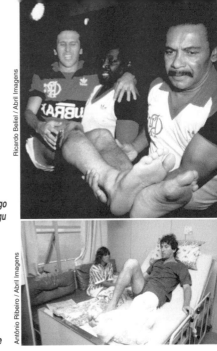

1985: Zico contundido no jogo Flamengo e Bangu

1985: Zico com Sandra, recuperando-se da cirurgia no Hospital Israelita de Belo Horizonte

convocação para a Copa, todo mundo só perguntando se eu teria condições de jogar no México. Eu queria jogar. A ansiedade dos outros era minha também. Mais do que qualquer um, queria minha chance de reparar a injustiça, como disse o Júnior.

No dia 21 de outubro, fui operado no Hospital Israelita de Belo Horizonte, para fazer uma artroscopia, um exame das articulações que também retira as partes lesionadas da cartilagem.

A recuperação — quer dizer, até eu poder colocar o pé no chão outra vez — foi relativamente rápida, graças à técnica utilizada. Mas, dali para frente, minha velha conhecida, a sala de musculação, seria mais minha casa do que qualquer outro lugar no mundo. Em nenhum momento eu podia ter a certeza de que voltaria a jogar — e nem desconfiava do que ainda estava me esperando.

Precisava recuperar os movimentos e reverter a atrofia

muscular da perna esquerda. A primeira vez que entrei em campo foi na pelada que eu e meus irmãos promovemos, lá em Quintino, tradicionalmente, na época do Natal — foi no dia 28 de dezembro. É um jogo beneficente, que arrecada fundos para a Funabem. Joguei apenas os primeiros quarenta e cinco minutos, mas já deu para sentir o gostinho. Comecei a ficar mais confiante. Acreditava que faltava pouco para ter vencido mais aquela...

Enquanto isso, o senhor Dunshee de Abranches dava uma entrevista dizendo que havia me vendido para a Itália porque, desde aquela época, eu já estaria "bichado" para o futebol.

Eu ainda me submetia a uma rotina de tratamento muito dura, penosa... dolorida mesmo, às vezes, pois precisava forçar os músculos para reaver minha forma física. Buscava estímulo na minha vontade de jogar outra vez diante da torcida, e lá vinha aquele sujeito — e outros, fazendo coro, aproveitando para aparecer — dizendo uma coisa dessas, como se me apunhalasse pelas costas. Não respondi. Esperei, continuei meu tratamento.

Ricardo Beliel / Abril Imagens

1986: Campeonato Carioca. Flamengo e Fluminense: reencontro de Zico com a torcida, depois de uma série de tratamentos para curar seu joelho esquerdo

No dia 17 de fevereiro, na véspera da convocação para a Copa do Mundo, Flamengo e Fluminense se enfrentavam no Maracanã. Desde a contusão, eu já havia participado de alguns jogos, sofrido lesões de menor gravidade, retornado à musculação e a outros procedimentos terapêuticos, e havia voltado a jogar... Telê estava no estádio e, por alguma razão, todos comentavam que ali seria decidida minha convocação para a Copa do Mundo. Depois de tudo o que eu já tinha passado, havia resolvido que não ia ficar de fora da Copa do México de jeito nenhum. Foi com essa disposição que entrei em campo.

Eu me matei naquela partida. Corri, marquei, dei bicicleta, driblei e lancei, fiz três gols na vitória de 4 a 1 do Flamengo. A certa altura, enlouquecido com o ritmo que nosso time estava impondo ao jogo, imprensado mesmo contra seu próprio campo, o Romerito — que deve ter dito aquilo de cabeça quente — chamou o Fluminense para quebrar o Flamengo e evitar a goleada.

— O que é isso, cara! — reclamei com ele.

— Não fala, não, que eu quebro você também.

Continuei jogando à vontade e o Romerito, como prova de que suas palavras devem ter-lhe pesado na consciência, sumiu do jogo.

Para comemorar meu terceiro gol, quem não agüentou fui eu. Corri com o punho cerrado gritando:

— Bichado é a...

O carinho e o alívio da torcida, demonstrando que ela, fiel e generosamente, acompanhou meu drama e nunca deixou de querer o melhor para mim, além do meu próprio esforço, foram recompensados no sorriso que Telê — famoso por sua cara de zangado — deu para a tevê, quando, na saída do jogo, perguntaram se eu estava convocado. Contrariando um hábito seu, o de não adiantar informações à imprensa, aquele sorriso foi a mais eloqüente das respostas.

Eu havia reencontrado a torcida, com a qual sonhara

em cada minuto durante o período de recuperação. Aquele rumor que ela faz, estremecendo o estádio, botando a coisa dentro da gente para transbordar a ponto de dar medo de não suportar a emoção — eu havia ganho aquilo de volta.

Mas meus problemas estavam longe de terminar.

Continuei sofrendo contusões, e cheguei à Copa do Mundo sem estar na plenitude da minha forma. Mas acreditava que poderia jogar, que poderia ser útil ao time, do contrário eu próprio pediria meu desligamento da seleção, até para não provocar uma lesão irreversível. Nunca concordei, portanto, com a opção do Telê de só me lançar no final de cada jogo. Cheguei a declarar que, se era para ver se eu agüentava o tranco, preferia ser lançado no começo e jogar o quanto desse — e eu acreditava que conseguiria, sim, jogar as partidas do começo ao fim. Eu queria era ganhar a Copa.

Não deu...

Não fico me remoendo sobre aquele pênalti que perdi contra a França. Lamentei pela torcida, pela geração de jogadores que se despedia das Copas sem conseguir o título, e até por Telê, cuja filosofia de jogo merecia melhor sorte nos mundiais.

De volta ao Brasil, sofri novas contusões. No dia 19 de setembro de 86, fui operado do joelho em Columbus, Estados Unidos, pelo dr. James Andrews. O dr. Andrews me havia sido recomendado como o maior especialista internacional em operações desse tipo, com um único detalhe complicador: era a primeira vez que um jogador de futebol profissional era submetido àquela cirurgia.

O próprio dr. Andrews não me deu certeza de que a coisa ia funcionar. Mas eu não tinha alternativa. Ou me operava ou ia precisar encerrar a carreira justamente do jeito que não queria. Logo na volta ao quarto, precisei tomar morfina para suportar as dores. Isso me provocou pesadelos e até uma certa depressão. Fui prevenido de muita coisa: dos meses que passaria sem poder sequer andar, da fisioterapia de doze horas por dia que necessitaria fazer para me

1986: Zico na Seleção Brasileira jogando contra a Seleção da Polônia

recuperar... e dos riscos de, mesmo assim, não voltar a jogar.

O que não me preveniram, nem tinham como, era para o choque que senti, meses depois, no Brasil, quando retirei o aparelho e vi a que havia sido reduzida minha perna. Ali, desmoronei, me deu um desespero, uma vontade até de morrer. A atrofia havia sido tão violenta que, na hora, me perguntei não se conseguiria jogar futebol novamente, mas se conseguiria voltar a andar.

As muletas, a musculação... Minha perna passara tanto tempo semi-arqueada que, até conseguir esticá-la, foi um custo enorme. Sofri dores por muitos dias. Fiz um esforço constante e cuidadoso para não romper os pontos. Cada centímetro a mais que meu calcanhar conseguia deslizar, numa risca cuidadosamente traçada na banheira lá de casa, era comemorado com choro e palmas. Levei quatro meses para conseguir esticar a perna por inteiro.

E, ainda no princípio dessa luta toda, sofri a perda do meu pai. Seu Antunes morreu em novembro daquele 86, foi costurar nuvens no céu, eu acho, assistir a jogos entre anjos, que não devem dar botinadas uns nos outros — as mesmas que o tiraram dos estádios para não ver seus filhos apanhar —, foi ajudar o Flamengo do seu coração, lá do alto, foi descansar... Se é que ele conseguiria ficar sem trabalhar. Sei lá... Quando a gente perde alguém tão próximo, não tem palavra que sirva para dizer coisa nenhuma.

Só tem que aprender que a gente não está aqui para entender tudo na vida, apenas para ir levando e vencendo os momentos em que se esquece por que continua na briga.

Sei lá...

O tempo ia passando e eu me sentia como se estivesse me enganando. Como, por Deus do céu, poderia se pensar que eu voltaria a jogar uma partida de futebol, ter estabilidade para dar um drible ou força na perna para uma arrancada em direção ao gol? Como? Havia momentos em que eu tinha saudades de lances de partidas que haviam ocorrido comigo e me dava aquela melancolia, como se uma vozinha teimosa, inimiga, lá por dentro surgisse, murmurando: "Nunca mais! Nunca mais!"

Finalmente, o Ralf Ferreira, que acompanhou minha recuperação física, me liberou para dar uma corrida em volta do campo. Lembro tudo daquele dia e da dor que eu senti. Ele ia correndo do meu lado, e eu chorava, dizendo que estava tudo acabado, que nunca mais conseguiria retornar ao

1987: natação: parte de um tratamento rigoroso e disciplinado na busca da recuperação

futebol. Não sei é como consegui terminar aquela volta. Retornei ao vestiário me desviando de todo mundo que queria me cercar, me perguntar como é que tinham ido as coisas... Para mim, fora péssimo! Era o fim!... Não queria saber de mais nada, mas o Ralf chegou e disse, simplesmente:

— Até amanhã!

— Como assim? Até amanhã o quê?

— Amanhã você dá duas voltas, tá?

— Mas e hoje?...

— Tudo normal! Até!...

Fiquei olhando para ele, com cara de espanto. Deixei a Gávea convencido de que nunca mais entraria num campo de futebol, que o Ralf enlouquecera, que eu precisava é me conformar com a realidade... E não posso dizer ao certo onde foi que mudei de idéia, entre o caminho para casa e o despertar do dia seguinte, nem como foi. O fato é que, sem poder resistir, eu estava lá na Gávea, pela manhã, sentindo as mesmas dores, mas dei as minhas duas voltas. E assim foi indo...

Exatamente no dia em que completava um ano que havia perdido aquele pênalti contra a França, retornaria ao time, também num jogo contra o Fluminense. Era dia 21 de junho de 87. Na arquibancada, Sandra, que me conhece mais do que qualquer um, dizia:

— Por que ele passou por tudo isso? Para estar aqui, de volta. Porque gosta de jogar!

Era a maior vitória da minha vida!

Acho até que o garoto Zico, aquele do primeiro treino da escolinha do Flamengo, andou trocando passes comigo durante o jogo. Daí, eu sorria... Empatamos de 1 a 1. Gol meu. De pênalti. Pois é... coisas da vida.

Antônio Mafalda / Abril Imagens

21/6/87: Campeonato Carioca. Flamengo e Fluminense: um ano após o pênalti perdido contra a França, Zico empata o jogo... com um gol de pênalti

Na prática, ainda levei um ano e meio, até sentir que estava jogando bem e solto de novo. Precisei aprender a mudar meu estilo. Montei meu escritório no meio de campo e dali despachava a moçada para a frente, distribuindo o jogo. Avançava trocando passes e só tentava o drible e a invasão entre os zagueiros em cima da área. Não podia saltar, ou melhor, não podia cair sobre meu pé de apoio, o esquerdo, porque senão poderia romper os pontos que mantinham meu menisco.

Acontece que, na segunda cirurgia, o médico me avisou que não havia retirado os meniscos — que dão ao joelho um equilíbrio fundamental na minha atividade. Poderia até fazer isso mais tarde, mas tentara resolver o problema, naquele momento, dando alguns pontos para segurar. Daí, mudei minha maneira de comemorar o gol — não pulava mais, só corria...

Só que, na fase semifinal do Campeonato Brasileiro de 87, no jogo contra o Santa Cruz, marquei um gol de falta tão bonito que dei aquele meu pulo de antigamente... Acho que estava é com saudade e a distração foi só desculpa... Na hora não doeu muito, mas assim que a musculatura começou a esfriar fui sentindo o joelho inchar, até bloquear a circulação.

Joguei a partida seguinte com o Atlético sabendo que ia precisar operar novamente. Naquele ano, iniciáramos meio cambaleantes o campeonato. Mas foram menosprezando, deixando o time chegar perto, deixando a gente se animar... quando viram, estávamos disputando o título para valer. Muita gente dizia e publicava que o Flamengo era um time velho — tinha eu, o Leandro, o Andrade e o Edinho —, que envelhecera comigo. Daí, eu entrava em campo dizendo que eu é que ia saber quando estivesse sem condições de jogar futebol, mais ninguém. Só que meu joelho começava a inchar no vestiário, no intervalo, e a perna doía tanto que não dava para retornar. Mesmo assim, passamos pelo Atlético e fomos decidir o título com o Internacional.

A primeira partida deu empate, em Porto Alegre. Na segunda, no Maracanã, a torcida veio em peso. Bebeto e Renato estavam endiabrados. E foi do Bebeto o gol do título, depois de um passe magistral do Andrade.

Se a cirurgia já marcada em Belo Horizonte não alcançasse sucesso, aquele poderia ser o último título — e talvez o último jogo — da minha carreira. No entanto, não houve maiores problemas para a extração do menisco. Eu ainda seria submetido a uma quarta operação no joelho, em 94, devido a uma torção que sofri na praia. Mas minha recuperação estava consolidada, tanto que, no Japão, nunca tive problemas com o joelho.

O futebol é minha vida. Tudo o que tenho devo a ele, felicidade pessoal e material. Tudo! Foi uma paixão plenamente correspondida e que dura até hoje porque fomos fiéis um ao outro. E o futebol foi generoso comigo até nisso: retribuiu minha vontade de permanecer com ele.

"Adeus, Zico. Nós, vascaínos, tricolores, botafoguenses etc., dormiremos mais tranqüilos sabendo que uma falta cometida nas proximidades de nossa área não será tão perigosa assim. Que não teremos de enfrentar os seus dribles, seus lançamentos, suas soluções inteligentíssimas para as jogadas mais difíceis, a sua movimentação que o levava, em frações de segundo, da intermediária à porta do gol e aos gritos de 'Zico!Zico!Zico!' quando você fazia uma das suas e chutava aquelas bolas que tocavam na rede e batiam em cheio em nossos corações. Em compensação, nós, que tanto amamos nossos clubes quanto o futebol, estaremos com as nossas tardes de domingo mais pobres. E, aí, veja que ironia, teremos saudades de você."

Sérgio Cabral, *O Dia*, 7/2/90

A ARTE DO NÓ NA CHUTEIRA

Para minha felicidade, além de alguns títulos em torneios internacionais, seríamos campeões da Taça Guanabara em 88 e 89. Título, sabe como é, não cansa nunca, quanto mais se ganha, mais se quer...

Uma nova geração tomava conta do Flamengo: o próprio Bebeto, mas também Leonardo, Zinho, Aílton. Muitos deles, sob a batuta de um Júnior tornado ainda mais genial pela experiência, ganhariam o Campeonato Brasileiro de 92, fazendo do Flamengo o clube com maior número de títulos nacionais.

Certa vez, um dos jogadores mais novos estava amarrando a chuteira, levantou os olhos e deu comigo observando-o fixamente. Não sei direito o que ele pensou que eu ia fazer. Percebi que ficara bastante embaraçado. Cheguei perto dele e falei:

— Olha, amarra a chuteira com o nó para o lado, porque daí o nó não atrapalha quando você for matar a bola com a parte de cima do pé...

Era só isso o que eu

Cumprindo o ritual de 1970, quando herda as chuteiras do ídolo e meio-campista Carlinhos, que se despedia do futebol, Zico, em 1990, oferece as suas a Pintinho, garoto de catorze anos, do infantil do Flamengo, no momento em que se despedia do futebol, no dia 6 de fevereiro

queria dizer. Não sei se foi um grande conselho para o rapaz, ou não, não sei se o ajudou a fazer algum gol aí pela vida. Eu me senti como que passando à frente o que aprendera observando meu pai dar pontos cuidadosos, carinhosos, nas roupas que confeccionava. Pontos que às vezes o dono da roupa não iria lá verificar, reparar. Mas estavam lá, perfeitos. Eram parte, sim, da roupa que ele entregava ao freguês. Ele, por ele, sabia disso... Acho que a convivência com aquela garotada me ajudou a decidir quais seriam os novos rumos da minha vida.

Sempre acreditei que em tudo que o ser humano põe a mão há uma lição para a vida. O jogador precisa saber o momento de avançar, precisa saber não se precipitar, não pôr a perder o esforço do time em entregar a bola para ele. Arremessar-se à frente com a bola dominada, seguindo sua impetuosidade — às vezes sua juventude —, é muito bonito. Tem horas que dá gosto de ver e é necessário arriscar. Mas, geralmente, ele precisa é lembrar que está jogando numa equipe e dar o passe.

Tentar girar e sair driblando no meio de campo é suicídio, é vaidade demais, pretensão demais, é levar um toco que poderia ser evitado. Há o lugar certo para o giro, para o chapéu, para o drible — perto da área. Na boca da área, ainda mais com um bom batedor de faltas no time, é mais seguro. O zagueiro evita as faltas: lá atrás o goleiro até exige, aos berros, que ele vá na bola. É importante ter no time um sujeito que passe horas e mais horas treinando bater faltas; que, quando não houver goleiro nem barreira de jogadores para treinar com ele, vá ele mesmo colocar a cerquinha, o goleiro-boneco, vezes sem conta, geralmente sozinho — o último a deixar o campo. E isso protege o time inteiro, evita faltas, contusões, dá alternativas de gols.

Eu me despedi do Flamengo num jogo-festa que nunca vou lembrar sem emoção. Foi em 6 de fevereiro de 90, aos trinta e seis anos. Estava comemorando o prazer que tive em jogar e um orgulho que considero mais do que justificado... Tenho a certeza de que sempre busquei me aprimorar, em cada detalhe que fosse. Nunca fui condescendente comigo mesmo e dei conta do meu trabalho o melhor que pude... Satisfação é um pouco isso.

É até cuidar do nó da chuteira.

Olavo Rufino / AJB

6/2/90: Zico despedindo-se do futebol no Maracanã. "Por que parou? Parou, por quê?", cantou a torcida de quase cem mil pessoas...

"Falar de Zico, após ter convivido com ele desde 72, equivale a descrever a trajetória de um jovem que deveria servir de modelo para todos os que buscam coroar suas vidas com amor, dedicação, abnegação e dignidade."

Giusepe Taranto,
médico e amigo de Zico,
Placar Especial, de 90

AS MOSCAS

Quando fui convidado pelo então presidente Collor para assumir a Secretaria de Desportos da Presidência, senti que era uma oportunidade de colocar antigas idéias em prática, e que essa oportunidade me transferia uma responsabilidade da qual eu não deveria fugir. Minha intenção não era e nunca foi fazer política. Quer dizer, política é um pouco de tudo o que está na vida da gente. O que quero dizer é que nunca pretendi concorrer a mandatos ou favorecer grupos. Queria fazer um pouco em benefício do esporte, que há muito, no Brasil, vem sendo prejudicado por alguns dirigentes cujo interesse se resume a permanecer nos seus cargos.

Além do mais, pensava em fazer alguma coisa também por muitos e muitos jogadores de futebol que, entre outras razões, por conta da Lei do Passe, algo tão abominável quanto a escravatura, encerram suas carreiras sem patrimônio e não sabendo fazer mais nada da vida. É uma coisa cruel: como homens, estão entrando na maturidade, ainda vigorosos, produtivos. E, justamente nessa idade, encerram a carreira — largam tudo para o que sempre dirigiram suas vidas, a única especialização, o único ofício que de fato possuem e o que lhes garantia algum padrão de vida. Se o atleta não entende que isso vai acontecer, que é parte do jogo, se não se prepara material e psicologicamente para isso, está perdido. Há milhares de jogadores de futebol no país. Apesar das luzes que se acendem sobre um punhado deles, que consegue sobressair, a maioria absoluta ganha mal, quando ganha alguma coisa — quando não joga em

Ronaldo de Oliveira / Correio Brasiliense

1990: cerimônia de posse de Zico na Secretaria de Desportos da Presidência da República. Ao lado de Zico e Sandra, dr. Antônio Simões da Costa, secretário adjunto, e sua esposa, Rute Reis da Costa

troca de um salário mínimo ou mesmo de um prato de comida.

Quando estive na presidência do sindicato, no Rio de Janeiro, tentei organizar um departamento que oferecesse orientação constante aos jogadores, principalmente por ocasião de renovação de contratos ou transferência de clubes. Meu irmão Antunes, quando eu ainda era garoto, foi vítima de uma venda de passe na qual o montante maior sumiu por debaixo do pano, sem que ele recebesse os quinze por cento a que tinha direito sobre essa quantia. Entretanto, não se trata de um problema superado. Não é o caso de lembrarmos saudosamente do Garrincha, apenas para achar que o exemplo dele pertence ao passado. Ainda hoje, enredados pela propriedade do clube sobre o direito ao trabalho dos jogadores — a Lei do Passe —, os atletas são prejudicados.

Extinto o passe — cada jogador livremente negociaria com o clube que melhor lhe conviesse —, haveria um mercado mais favorável aos profissionais e mais transparente.

Outra questão... Na Europa, o clube é uma empresa que precisa dar lucro, apresentar resultados positivos, participar de campeonatos e de contratação de jogadores que dêem retorno ao investimento realizado. Há um zelo pelos torneios e maior respeito profissional pelos atletas — nunca vi um jogador europeu ser submetido a uma maratona de três jogos por semana para apresentar-se em campeonatos deficitários, às vezes simultâneos, sem outro objetivo que não fazer média entre dirigentes. Os dirigentes são profissionais preparados para a função. Por isso é que o futebol por lá cresce e contrata os melhores atletas de países como o nosso. Lá, o clube — e não as federações — é que administra o futebol.

Fiquei pouco tempo na secretaria. Não tinha verbas para trabalhar, muito menos para investir em algum empreendimento ou projeto. E precisei driblar um ou outro pedido de cargos, para favorecimentos políticos. Decidi, afinal, que a contribuição que poderia dar seria a elaboração do projeto de reformulação do futebol no país. Naturalmente, esbarrei em oposições de todos os lados. Primeiro, apostavam que eu não conseguiria finalizar o projeto. Quando foi concluído, me acusaram de ter feito tudo sozinho, de não ter consultado ninguém, apesar de eu ter documentado as inúmeras consultas que fiz — a maioria sem receber resposta — a personalidades, clubes e instituições. Propus o fim do passe — como propriedade do clube — e a transformação do clube em empresa, encerrando esse fingimento de sociedade sem fins lucrativos. Lucro há; se o dinheiro não pode aparecer, por força de lei, desaparece é do clube.

Dando por encerrado aquilo que poderia realizar no governo, pedi demissão em abril de 91. O projeto elaborado transformou-se na Lei Zico com muitas modificações que impediram que se colocassem em prática algumas das minhas idéias, sobretudo a extinção do passe.

No final das contas, o que pude concluir, mais uma vez, foi que mudar é difícil, pelo menos enquanto quem não quer mudar nada estiver mandando. Ou, como dizia meu pai, em política, só mudam as moscas...

"O Zico é um jogador completo. Tem uma extraordinária visão de jogo, uma habilidade fantástica e um toque de bola que invejo."

Roberto Dinamite

Paulo Nicolella/AJB

JICO *SAN*

Numa tarde, assim de repente, cheguei à Gávea e fui treinar com os reservas e os juvenis. O pessoal estranhou um pouco, mas não disse nada.

— Ora, deixa o coroa bater uma bolinha, o que é que tem?

Só que o coroa voltou na manhã seguinte, e na outra. Aparecia todo dia, forçando o jogo de um jeito que o pessoal estranhava cada vez mais. Começaram a circular uns boatos. Diziam que eu voltaria ao time, que estava me mantendo próximo para assumir o cargo de técnico do Flamengo, ou até mesmo de presidente do clube. Eu não queria saber de falatório... Estava me divertindo, é claro, ao remexer com os grilos de todo mundo, mas minha maior preocupação era recuperar minha forma física, meus reflexos, minha técnica... que, aliás, não estavam tão enferrujados assim.

No final de maio de 91, foi anunciado meu grande segredo. Estava contratado pelo Sumitomo, do

1991: Yasuo Shingu, presidente do Sumitomo Metal Industries, mostrando aos fotógrafos o novo uniforme de Zico, durante o encontro com a imprensa, em Tóquio

Japão, por um período de três anos, como jogador e como técnico do time. Na verdade, o contrato era apenas a face aparente de um projeto muito mais ambicioso — característico da cultura japonesa, de fazer grandes investimentos de longo alcance...

O futebol japonês já tinha jogadores de nível e alguns clubes organizados. O que não possuía, dentro do próprio Japão, era exposição na mídia — que seria fundamental para tornar-se um empreendimento expressivo. Minha contratação era o primeiro passo para consolidar a Japanese League — a J-League — formada por dez times profissionais, e para expandir o esporte no Japão, para torná-lo popular, atrativo. Não pude resistir...

Joguei a primeira temporada no Sumitomo, que, com a criação da liga, mudou de nome, passando a denominar-se Kashima Antlers, um clube-empresa que entrou como um dos favoritos no magnificamente bem organizado campeonato da J-League.

Adorei o Japão... Impressiona, como se fosse um filme de ficção científica, aquela ligação deles com a tecnologia, você saber que o que está vendo nas lojas e, principalmente, ao seu lado, na rua, em uso corriqueiro, é o que há de mais potente, de mais avançado. A tecnologia, no Japão, convive artisticamente — isso mesmo! — com o cotidiano das pessoas, ainda orientado, e muito, por uma tradição milenar. Deixa eu explicar melhor essa frase tão pintosa...

Quando eu entrava em campo com os jogadores japoneses, minha preocupação era exatamente o contrário da de um técnico, no Brasil. Aqui, principalmente com a rigidez de hoje, os técnicos se preocupam em fazer os seus jogadores seguir as prescrições táticas, o posicionamento que eles definem para cada um em campo, suas funções... Pois até aí, para os japoneses, é moleza. Os japoneses absorvem tudo o que é novo com uma rapidez e uma perspicácia impressionantes. Não vou me admirar nada se, daqui a uns anos, estiverem disputando para valer uma Copa do Mundo. Ainda mais se assimilarem — o que já estão conseguindo — um pequeno detalhe... Treino é treino, jogo é jogo. No jogo, nem sempre o que se treinou pode ser posto em prática.

1994: Pepsi Cup. Kashima Antlers 1 e Flamengo 2: Zico e Fabinho disputam a bola

Às vezes, a história do jogo é diferente daquela que a gente imaginou, então é preciso abandonar a orientação dada, improvisar, fazer, às vezes, sem esperar instrução, até o que der na cabeça... Importa o objetivo: marcar gols, vencer!

E nisso é que os japoneses combinam o passado com o presente. Vivendo numa sociedade tradicional, arraigados à cultura de obediência, as pessoas, em vez de se esconderem do novo, o aceitam sem restrições. Isso com disciplina, com respeito, com profissionalismo — um sentido de responsabilidade que vem de gerações, mas que sabe expressar-se em detalhes, como, por exemplo, gramados tão perfeitos que o Fluminense, quando esteve por lá, reclamou. Segundo o técnico na época, o Edinho — que devia estar fazendo um pouco de graça —, o time perdeu porque não está "acostumado a jogar em gramados sem nenhum buraco, nem irregularidades".

Eu me apaixonei pela cultura japonesa, pelo respeito ao ser humano. Onde quer que você esteja, no Japão, sabe que possui direitos e garantias. A sociedade funciona, todos cooperam e sentem-se orgulhosos disso, e não de conseguir levar vantagem, quebrando as regras comunitárias em proveito próprio, do jeito — ou jeitinho — malandro, egoísta, predatório. Cada pessoa lá me dá a impressão de sentir-se digna justamente por sua contribuição — sua fidelidade, mesmo — à coletividade, por seu sentido de cidadania.

Joguei quase três temporadas no Japão. Cheguei lá desconhecido, praticamente. No final, onde quer que aparecesse, sempre tinha alguém — rompendo o recato tradicional do japonês — me chamando na rua:

— Jico!

Era assim que pronunciavam meu nome. E tenho umas saudades gostosas da carinha daquelas crianças dizendo Jico para mim. Hoje, o Japão tornou-se um dos maiores centros esportivos do mundo. Há contratações ocorrendo toda hora — craques que, no auge da carreira, optam pelas boas condições do mercado japonês. O futebol transformou-se numa verdadeira paixão do povo, assunto obrigatório dos noticiários e num grande negócio.

Encerrei minha carreira no Japão, num jogo contra o Flamengo. O Kashima perdeu de 2 a 1... No final, dei minha camisa de presente para o Carlinhos, retribuindo o seu

Foto maior, 1994: equipe do Juventude, de Quintino, formada por familiares (Zeca, Nando, Edu, Tonico, Dudu, Júnior, Bruno e Thiago), amigos (Chagas, Marcos Vinícius, Jonas e Luiz Antônio) e pelo compadre Fagner, momentos antes do jogo contra a comissão técnica do Kashima Antlers. Parte das comemorações do "Carnival 94", dez dias de festas em homenagem a Zico, que se despedia do Kashima Antlers, em Tóquio

Ao lado, em 1994: Zico entre sua mãe e Sandra, numa das comemorações do "Carnival 94"

Acima, foto menor, 1994: "Carnival 94", momento de confraternização da família e dos amigos. Zico entre sua irmã Zezé, Maria José, e Sandra

gesto, há muitos anos, quando ele próprio se despedia dos estádios e eu era um magrelo que iniciava no Flamengo. Na ocasião, o Carlinhos me passou sua camisa, diante da torcida.

Onde tem torcida, dá para ter futebol, essa é a grande verdade. E no Japão, hoje em dia, só se joga com estádio lotado. Coisa de até sessenta mil pessoas por partida — um pessoal ótimo, que aprendeu a vibrar em cada lance e a discutir sobre futebol até para brasileiro ver! A alegria do futebol faz parte agora da vida dos japoneses.

"Zico (...) é ao mesmo tempo sofisticado e simples, pois até seu drible mais espetacular ou seu passe de maior efeito tem como objetivo único o caminho mais curto em direção ao gol. Zico consegue ser artilheiro (...) sendo ao mesmo tempo (...) um criador de jogadas e de gols para os companheiros."

Fernando Calazans,
Jornal do Brasil, 3/3/83

Ricardo Beliel/Abril Imagens

A NOVA GERAÇÃO

Retornei ao Brasil em junho de 94. Meus planos eram cuidar do meu Centro de Futebol e, no futuro, formar um time, o Futebol Clube do Rio — com a garotada criada no próprio centro. Tenho trabalhado nessas duas direções. Dá muito prazer receber a criançada — inclusive grupos de japoneses — e mostrar que futebol, além dessa alegria toda, dá para a gente uns toques do que é a vida. Aqui no centro, garotos de famílias com recursos convivem com outros mais pobres e aprendem também a valorizar o que ganham à custa do seu próprio esforço.

Nada acontece por acaso e para todas as coisas há um preço. Em qualquer atividade, treinamento e persistência são fundamentais. Além disso, é preciso aprender a desenvolver uma sensibilidade especial para se sentir gratificado pelos resultados invisíveis do dia-a-dia. O jogo, prazer e paixão, responsabilidade e caráter, desafia o ser humano que caminha o tempo todo conosco. As atenções e expectativas estão sobre você, e você tem que corresponder a elas. Tem que querer ganhar — querer com força! —, expor-se, arriscar e jogar para ganhar. Apostar tudo, entregar-se.

Aprendi no futebol que uma coisa não está perdida até você ir lá, correr atrás. Tem sempre que buscar o resultado, nem que seja não levar mais gols para evitar vexame maior. Não pode desanimar nunca.

E, às vezes, tem que aprender a perder. De cabeça erguida e consciência limpa de quem brigou o quanto

À esquerda, 1996: Pelé, ministro extraordinário dos Esportes, confraternizando-se com Zico, no encontro de jogadores de todas as copas no Centro de Futebol Zico

À direita, 1995: Zico orientando os adolescentes japoneses no Centro de Futebol

pôde. Algumas das vezes em que mais me emocionei no futebol foi quando assisti à torcida aplaudir seu time, na derrota, reconhecendo e homenageando o esforço, a dedicação. É bonito isso no jogo: querer ganhar acima de tudo, mas sabendo perder. Aceitando a tristeza da derrota como coisa do jogo, da vida. Às vezes, é mais fácil buscar culpados; mas nem sempre isso melhora o caráter de alguém.

Não é fácil passar isso para as crianças e jovens no Brasil. Por um lado, é o salve-se-quem-puder, é o me-dar-bem e o mete-a-mão-antes-que-acabe. Por outro, essa falta de perspectiva, essas coisas que são ditas de um jeito e feitas de outro... Enquanto milhões de pessoas passarem fome, não acredito em sucesso de plano econômico nenhum. Não adianta dizer que a economia vai bem com tanta criança abandonada nas ruas. Não me venham com histórias... Nada está certo se não existir garantia de emprego e investimento real em educação e saúde.

Meu maior orgulho, na carreira de atleta, foi ter conquistado o respeito e a consideração que os meus colegas jogadores, a imprensa e tantas outras pessoas manifestam pelo que fiz e pela minha postura. Saudades, claro que tenho. Mas vou reclamar do quê? Vivi vinte e cinco anos da minha vida nos estádios, dá para querer mais? Tenho orgulho do que fiz, carinho pelos momentos que dividi com a torcida. E consegui isso sem pisar em ninguém. Sempre respeitei muito quem trabalhava comigo e cumpri com meus compromissos. Isso me dá satisfação, dá ao meu orgulho um sentido a mais — orgulho pelo que consegui e pela maneira como consegui.

1995: Sandra, Zico e o papa João Paulo II, no Vaticano. Solenidade comemorativa do 30º aniversário da publicação do documento Presbyterorum Ordinis

Por isso é tão gostoso dizer: eu sou o Zico, filho do seu Antunes, alfaiate, pai brabo e bom, e de dona Matilde, mãe pra toda obra. Sou marido da Sandra, pai do Júnior, Bruno e Thiago, minha família, precisa falar mais? Fui jogador de futebol, hoje ensino, sou empresário. Tenho muitos amigos e sei que as pessoas confiam em mim.

Gosto de poder dizer que esse sou eu.

Impresso nas oficinas da
EDITORA FTD SA
Avenida Antonio Bardella, 300
Fones: 912-1905 e 912-8099
07220-020 GUARULHOS (SP)